365
Jeux de Noël
6 ans et +

Les Éditions
Goélette

Couverture:
Marjolaine Pageau

Graphisme et mise en pages:
Marie-Pier S.Viger

Conception des jeux:
Sophie Binette
Chantal Morisset
Marjolaine Pageau
Jessica Papineau-Lapierre
Katia Senay
Marie-Pier S.Viger

Correction:
Maude-Iris Hamelin-Ouellette

1350, Marie-Victorin
St-Bruno-de-Montarville (Québec) CANADA J3V 6B9
Téléphone: 450 653-1337
Télécopieur: 450 653-9924
www.editionsgoelette.com
www.facebook.com/EditionsGoelette

Dépôts légaux:
Bibliothèque et Archives nationales du Québec
Bibliothèque et Archives Canada
Quatrième trimestre 2013

Les Éditions Goélette bénéficient du soutien financier de la SODEC pour son programme d'aide à l'édition et à la promotion.

Nous remercions le gouvernement du Québec de l'aide financière accordée par l'entremise du Programme de crédit d'impôt pour l'édition de livres, administré par la SODEC.

ASSOCIATION NATIONALE DES ÉDITEURS DE LIVRES
Membre de l'Association nationale des éditeurs de livres

Imprimé au Canada

ISBN: 978-2-89690-515-7

Explications des jeux

LABYRINTHE

Entre dans le labyrinthe et trouve le chemin de la sortie.

SUDOKU

Remplis la grille avec les chiffres de 1 à 9 en respectant ces règles: chaque case doit contenir un chiffre, tous les chiffres de 1 à 9 doivent se retrouver dans chaque colonne, rangée et région, aucun chiffre ne doit se répéter dans une même colonne, rangée ou région.

LES ENSEMBLES

Dessine dans chaque bulle blanche les dessins manquants pour arriver au nombre indiqué.

6 ERREURS

Trouve les 6 différences entre les images.

L'ARTISTE

Reproduis le dessin qui se trouve en bas à droite dans la bulle.

L'HEURE

Trace des lignes pour associer les heures ensemble.

Explications des jeux

SUDOKU DESSINS
Applique les mêmes principes que pour le sudoku sauf que les chiffres sont remplacés par des dessins.

LA SUITE
Encercle le bon dessin afin de compléter la suite.

DESSIN À COLORIER
Amuse-toi et mets de la couleur.

BINGO
Dans la grille, encercle les cases qui correspondent aux jetons. Prends garde, certains jetons ne se trouvent pas dans ta grille. La case du centre de la grille est gratuite, tu peux l'encercler tout de suite. Lorsque tu auras découvert la ligne gagnante, tu pourras crier BINGO!

PARFAITE ORTHOGRAPHE
Un seul de ces mots est bien écrit, découvre lequel.

LE DOUBLE
Reproduis le dessin à l'aide de la grille.

MÉLI-MÉLO
Trouves les lettres du mot encadré dans le méli-mélo et colorie-les.

Explications des jeux

SYMÉTRIE
Trace la symétrie à droite du dessin déjà en place comme s'il y avait un miroir au centre.

BOURRASQUES DE MOTS
Replace les lettres dans le bon ordre pour former des mots.

LE SERRURIER
Découvre la clé qui ouvre chaque cadenas en effectuant l'opération mathématique.

LE TRADUCTEUR
À l'aide de la liste de mots, écris sous chaque image le mot anglais qui lui correspond.

LE JUMEAU
Trouve quel dessin est identique à celui dans l'encadré. Il y en a un seul!

TORNADES DE LETTRES
Replace les lettres au bon endroit pour découvrir le mot.

MOTS ENTRECROISÉS
Place tous les mots de la liste dans la grille.
Un truc: commence par placer le mot le plus long ou le mot qui est le seul avec ce nombre de lettres.

Explications des jeux

MOT DANS L'OMBRE

Inscris dans la grille le mot correspondant à la définition. L'indice t'aide à trouver le mot à placer dans les cases grises. Petit truc : n'écris pas les accents.

MOTS CACHÉS

Trouve tous les mots de la liste et encercle-les dans la grille. Les lettres restantes forment la solution.

DE POINT EN POINT

Relie tous les points numérotés, du plus petit au plus grand, pour former un dessin.

MOTS À DÉCOUVRIR

Écris le mot correspondant à chaque image. Transcris la lettre pointée par la flèche pour trouver la solution.

CODE SECRET

À partir du code secret, découvre la phrase cachée.

Labyrinthe

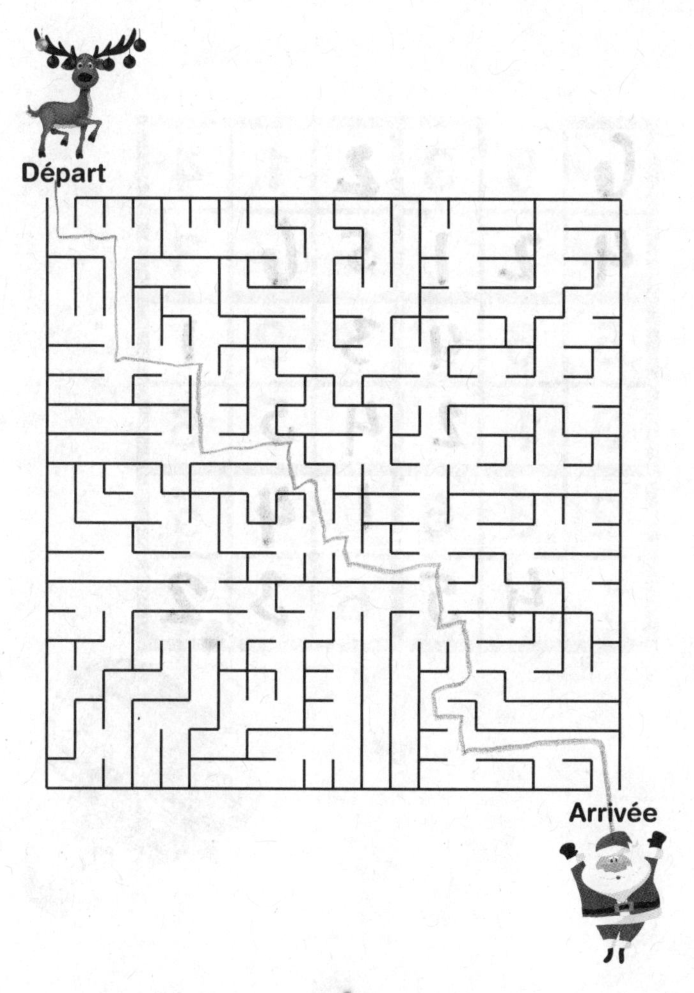

Sudoku

6	5	3	2	1	4
4	2	1	5	6	3
5	6	4	3	2	1
3	1	2	4	5	6
2	3	6	1	4	5
1	4	5	6	3	2

Les ensembles

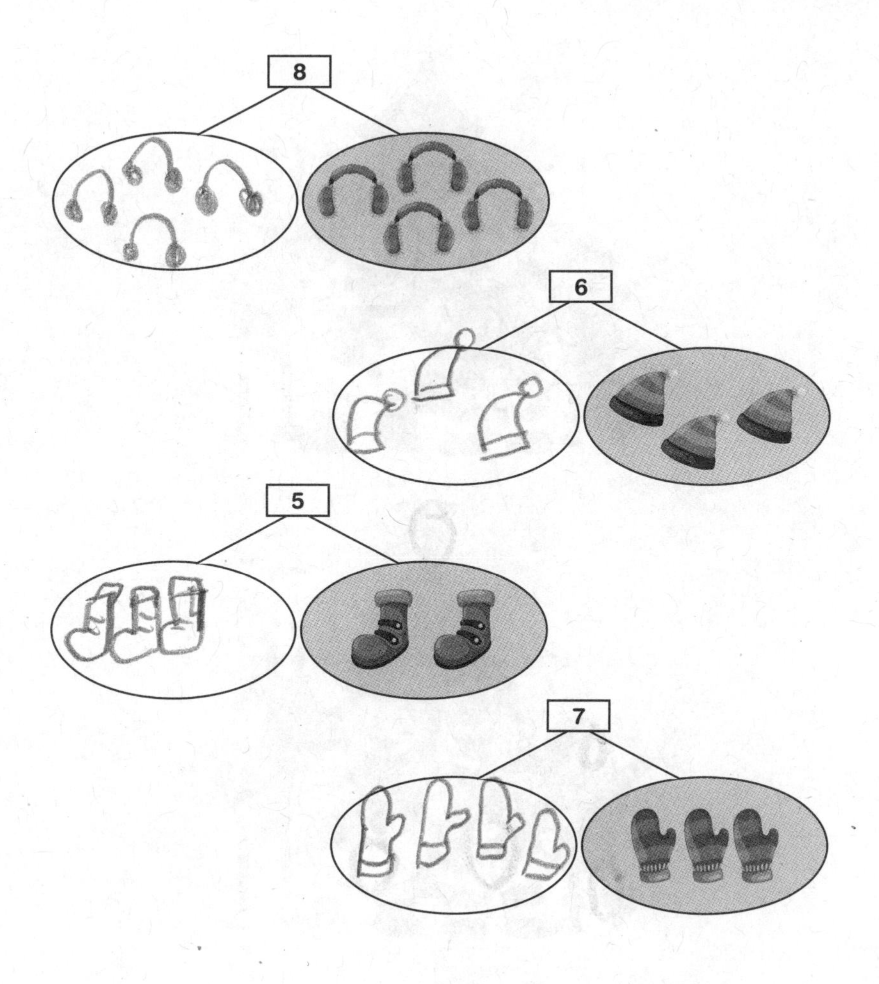

6 erreurs

L'artiste

L'heure

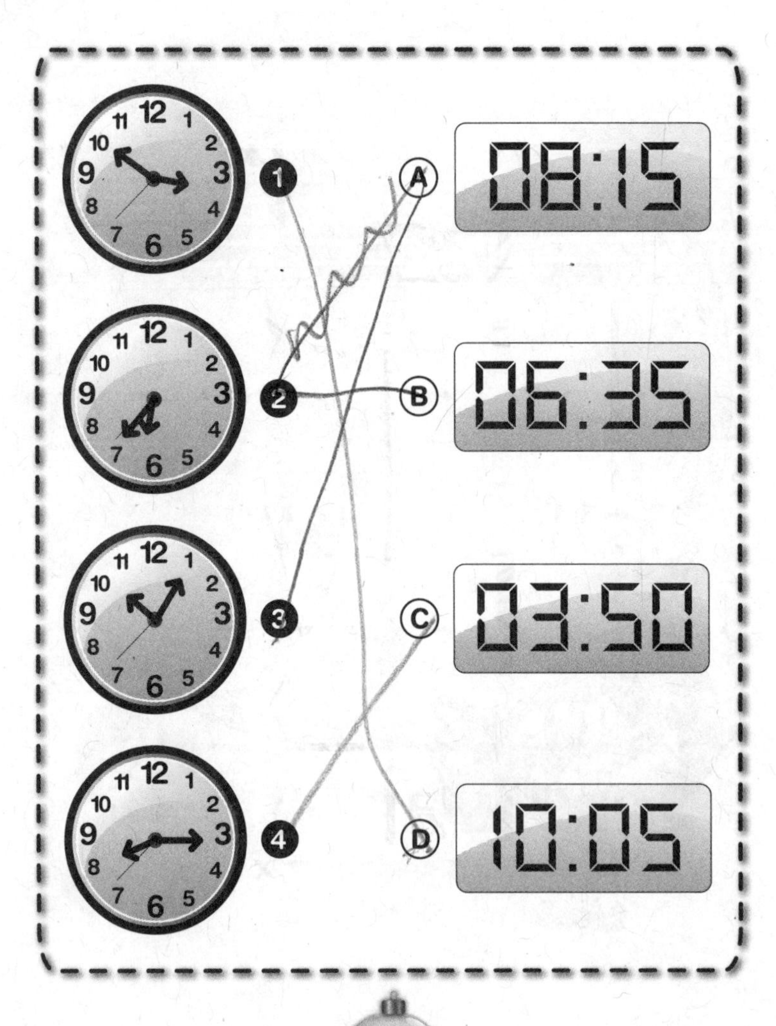

Sudoku dessins

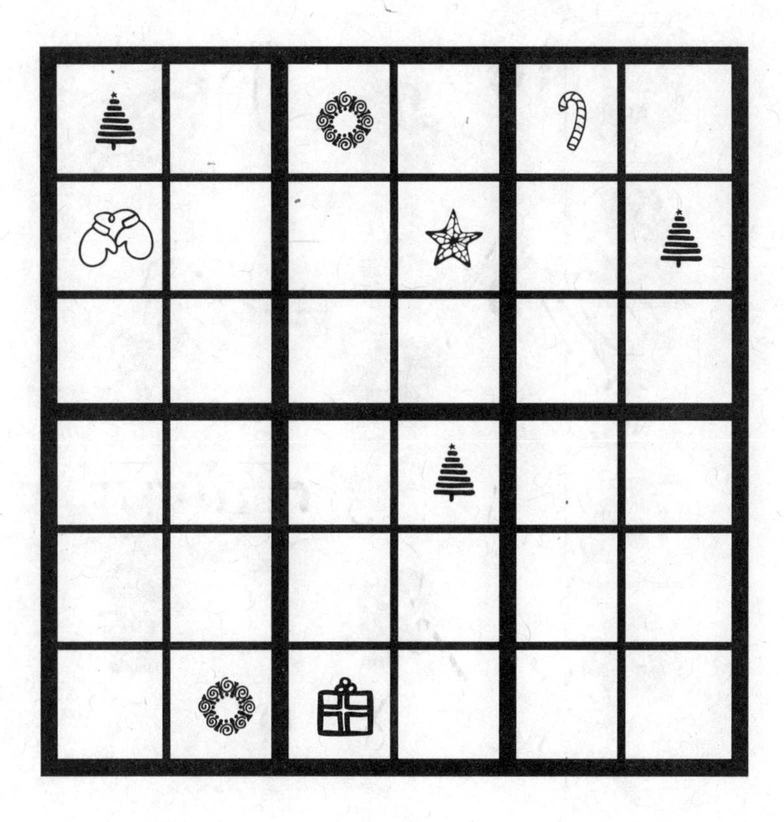

La suite

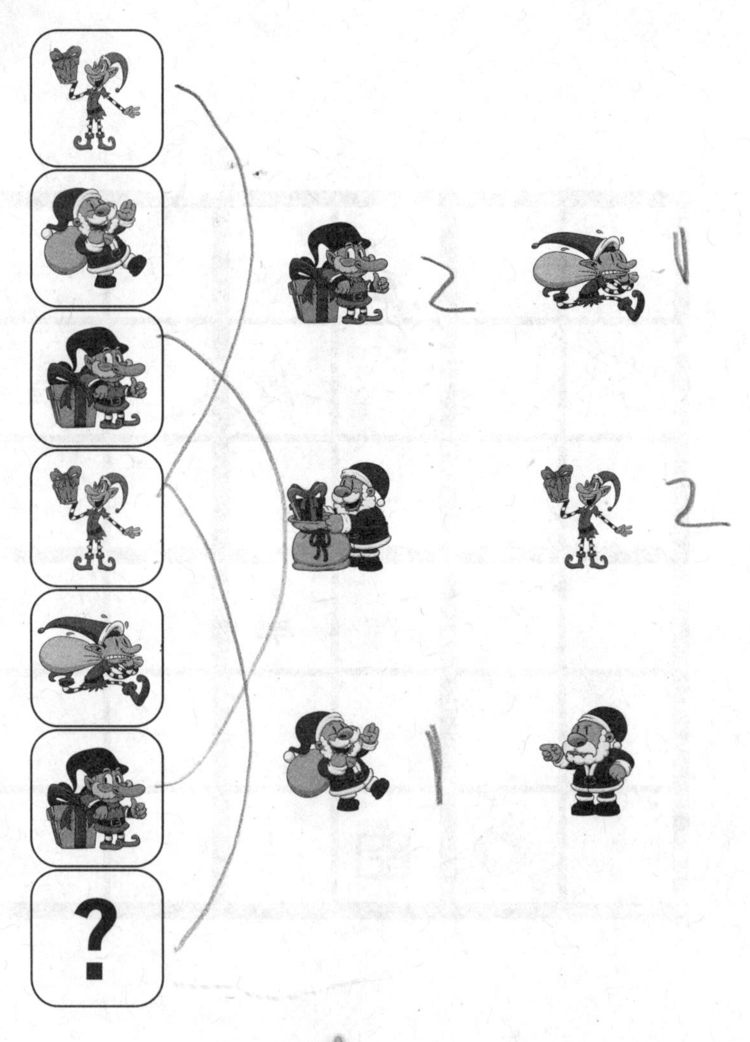

Dessin à colorier

Bingo

B 13	B 11	I 25	G 50	O 68	I 30	N 45	N 40
G 51	G 59	B 8	G 47	N 41	N 32	O 74	N 31
G 48	G 54	I 17	O 73	N 38	N 42	I 16	G 60
B 15	N 35	G 46	I 20	O 61	O 62	O 72	I 26
I 24	I 29	O 75	G 52	O 67	I 21	B 6	O 70

B	I	N	G	O
2	18	37	58	75
10	17	34	50	62
9	27	Gratuit	53	61
8	26	44	54	70
11	21	45	59	71

Parfaite orthographe

- [x] PÈRE NOËL
- [ ] PERRE NOWEL
- [ ] PERE NÖEL

Le double

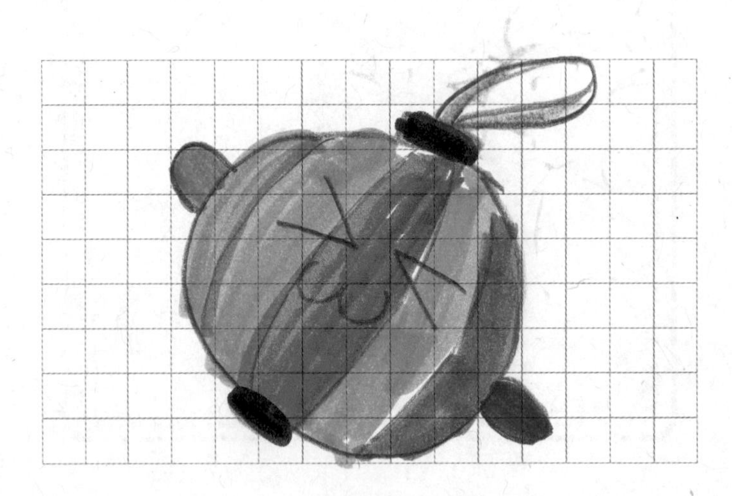

SUCRE

Symétrie

Bourrasques de mots

cbiuist _ _ _ c _ _ _

oujet j _ _ _ _

hocu _ _ o _

goubie _ _ _ _ _ e

flielec f _ _ _ _ _ _

Le serrurier

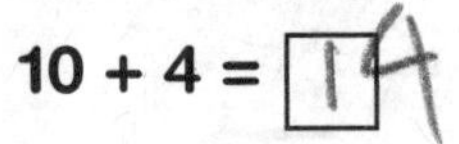

10 + 4 = ☐   14 - 7 = ☐   18 - 13 = ☐

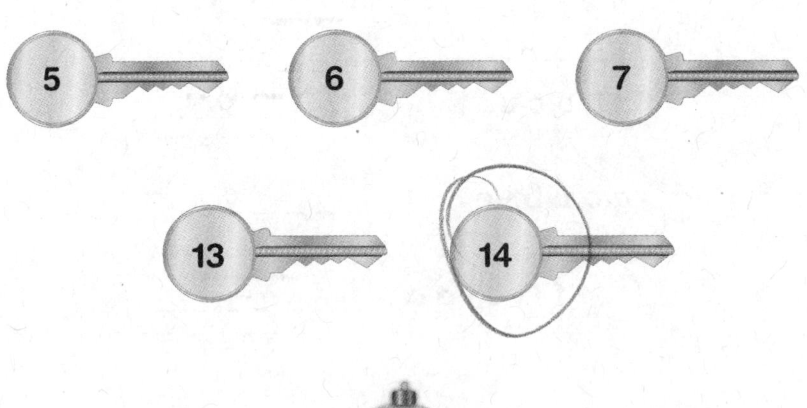

Le traducteur

WINTER EQUIPMENT

Snowboard	Gloves	Ice skates
Goggles	Helmet	Snow suit

1

_ c _ _ _ a _ _ s

2
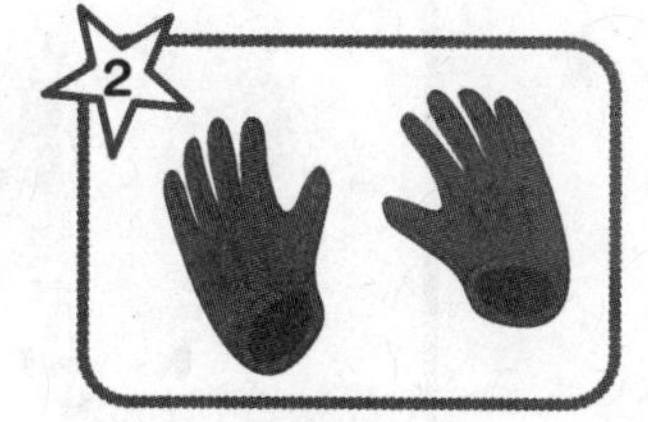

_ l _ v _ _

3

G _ _ _ l _ _

4

S _ _ w _ u _ t

5
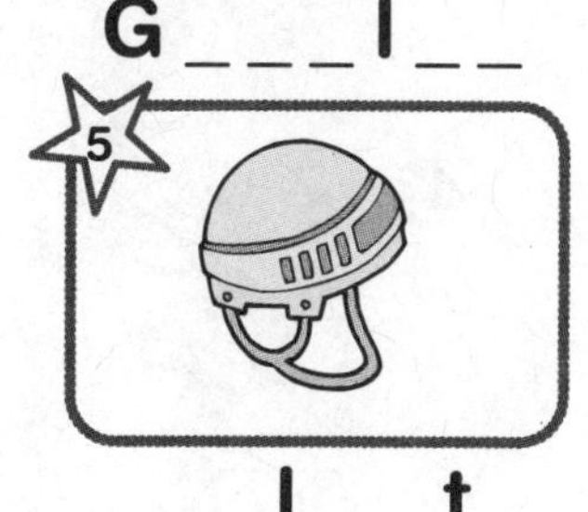

_ _ l _ _ t

6

_ n _ w _ _ _ r _

Le jumeau

1.

2.

3.

4.

Tornades de lettres

Mots entrecroisés

3
Ami
Oie
Sac

4
Cane

5
Colis
Divin
Liste
Saint

6
Veston

7
Cloches

Mot dans l'ombre

1						
2						
3						
4						
5						

Indice : Arbre de Noël.

1 On la verse sur la viande.
2 Personne adorable.
3 Vêtement de nuit.
4 On les reçoit à Noël.
5 Opposé du jour.

Mots cachés

P	U	I	S	S	A	N	T	R
R	A	P	I	D	E	U	D	T
V	F	C	O	M	E	T	E	O
O	C	U	P	I	D	O	N	N
L	O	L	R	P	H	B	E	N
E	C	L	A	I	R	O	N	E
R	F	O	R	T	E	I	E	R
R	E	N	N	E	S	S	Z	R
F	R	I	N	G	A	N	T	E

Bois
Comète
Cupidon
Éclair
Fort
Fringant
Furie
Nez
Puissant
Rapide
Rennes
Tonnerre
Voler

Mot de 8 lettres :

____

De point en point

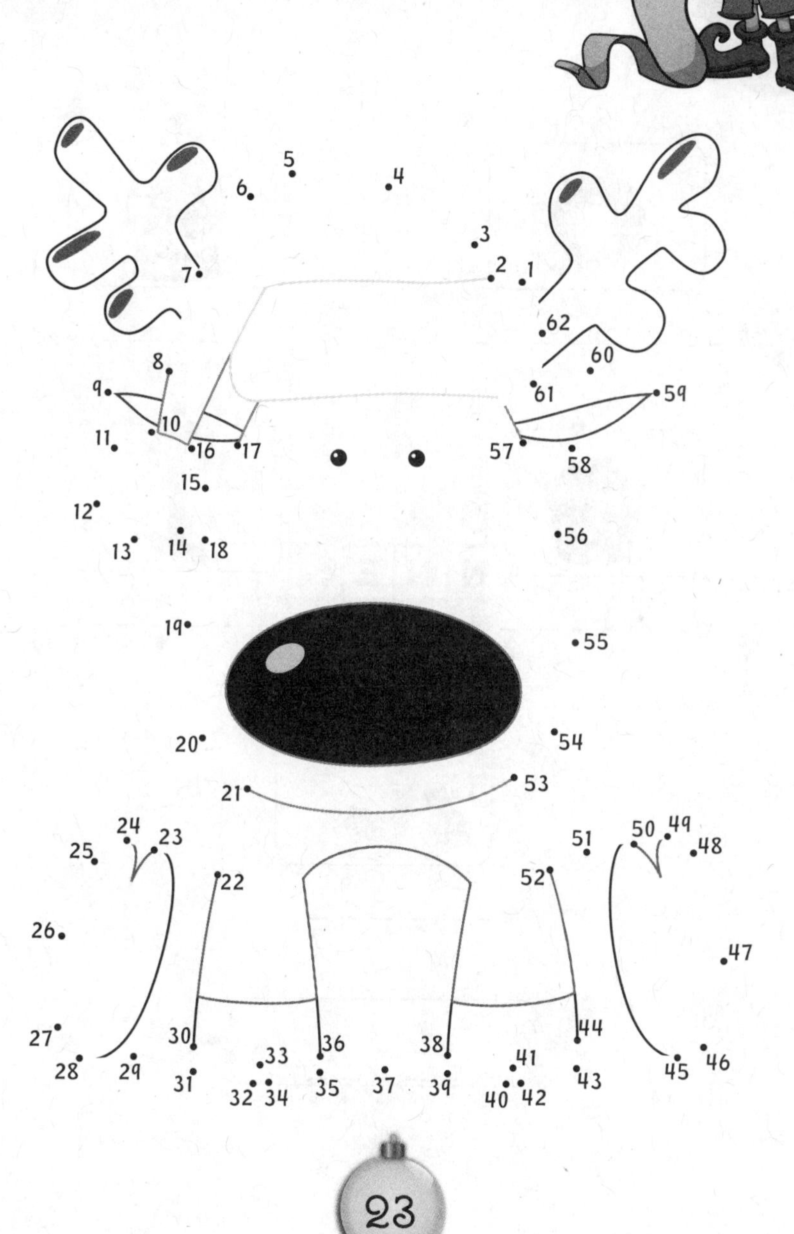

Mots à découvrir

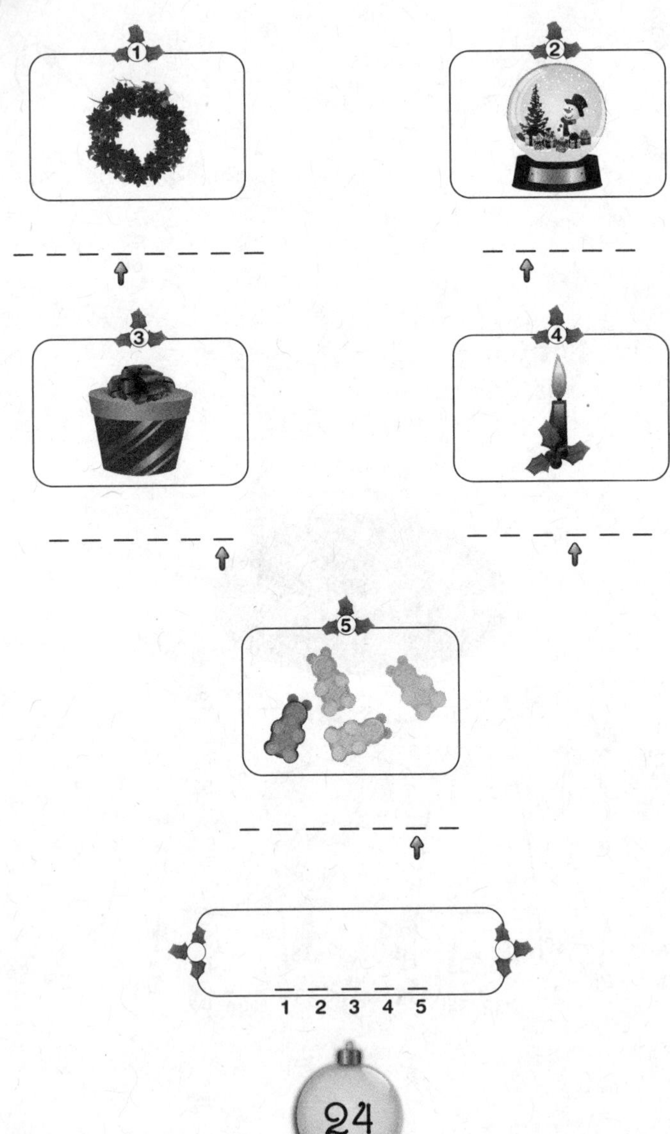

Code secret

= A = B = C = D = E = F

= G = H = I = J = K = L

= M = N = O = P = Q = R

= S = T = U = V = W = X

= Y = Z

_ _ _   _ _ _ _ _ _

_ _ _ _ _ _ _ _ _ _   _ _ _

_ _ _ _ _ _   _ _ _ _   _ _ _ _

_ _ _   _ _ _ _ _ _ _ _.

Labyrinthe

Départ

Arrivée

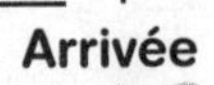

Sudoku

2			5	3	
	6			2	
	2				
		5	6	4	
1		4		6	
		2			1

Les ensembles

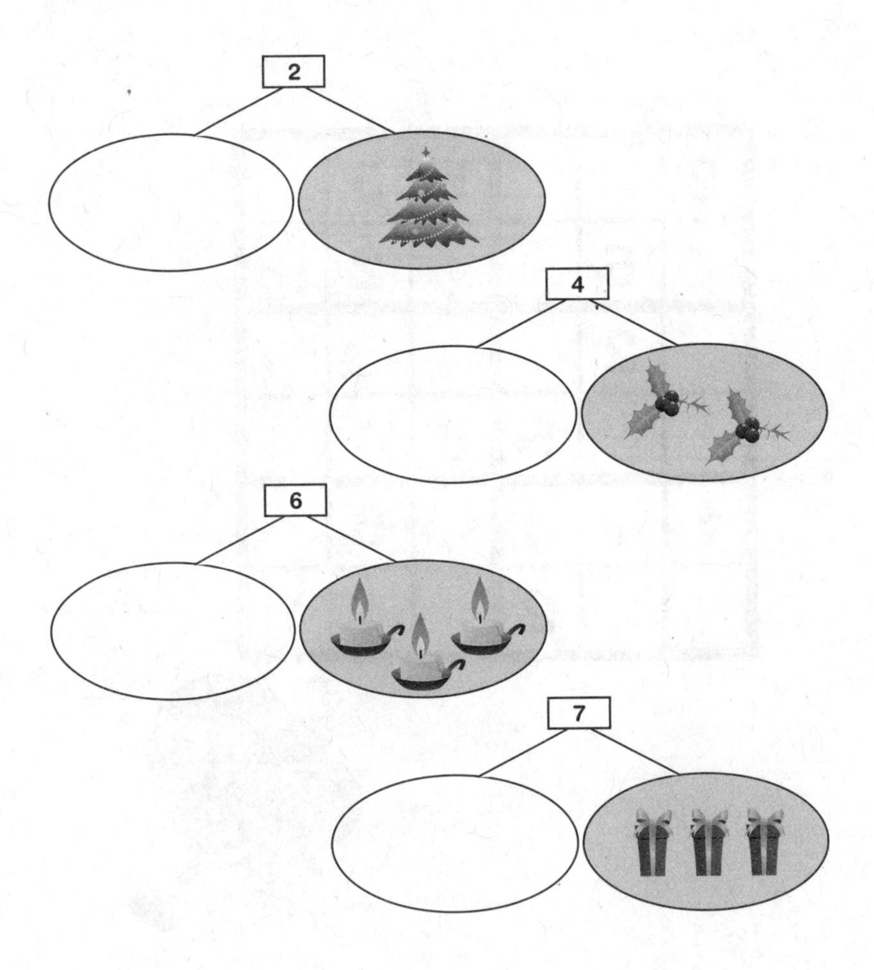

6 erreurs

L'artiste

L'heure

Sudoku dessins

La suite

Dessin à colorier

Bingo

N 34	N 41	B 9	O 66	G 53	I 24	N 37	N 44
B 6	G 48	N 43	B 5	G 57	N 45	B 8	I 18
O 72	I 22	G 55	I 23	B 13	G 56	O 63	G 54
N 39	I 16	O 65	O 74	G 46	N 32	O 62	G 52
B 2	O 67	B 10	I 30	N 31	G 59	N 38	N 40

B	I	N	G	O
11	22	31	59	66
10	21	40	60	74
13	24	Gratuit	57	61
8	25	41	58	62
9	30	39	53	67

Parfaite orthographe

○ **TRAIN**

○ **TREIN**

○ **TRAINT**

Le double

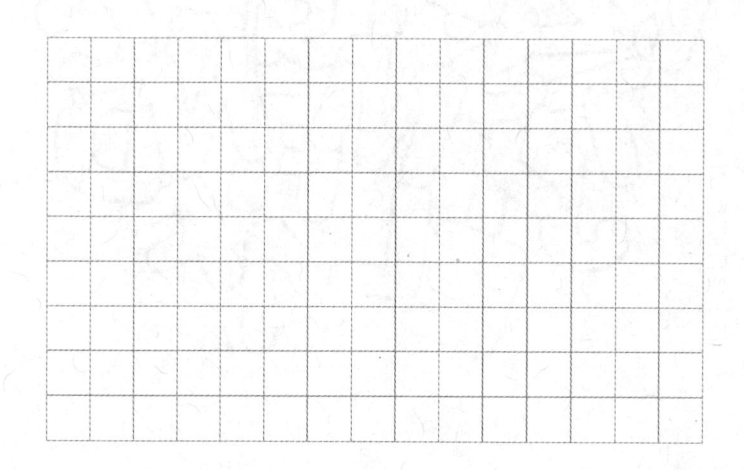

SAPIN

Symétrie

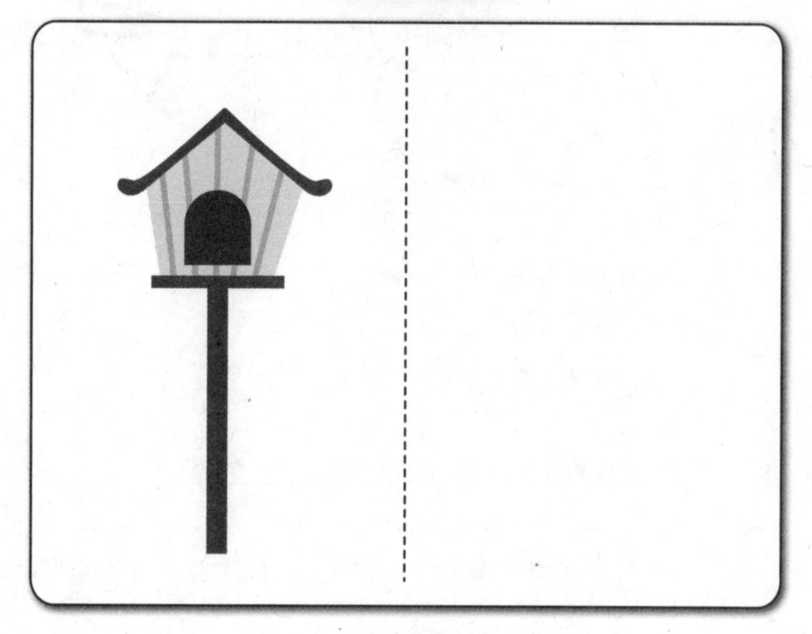

Bourrasques de mots

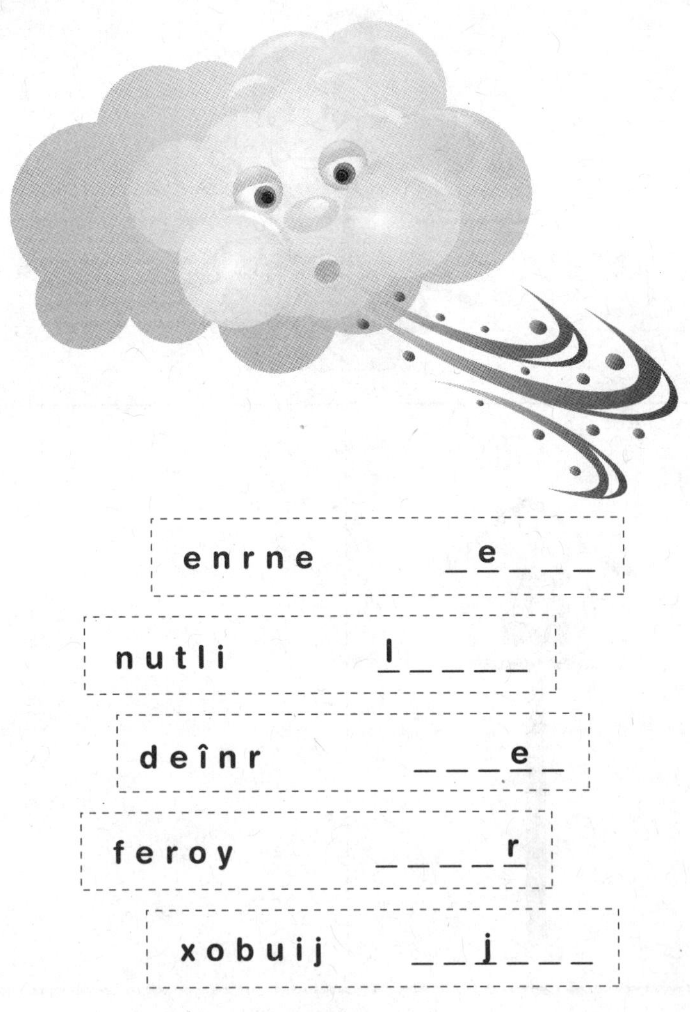

enrne	_ e _ _ _
nutli	l _ _ _ _
deînr	_ _ _ e _
feroy	_ _ _ _ r
xobuij	_ _ j _ _ _

Le serrurier

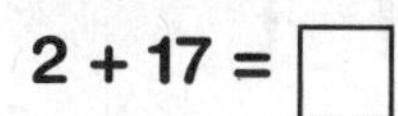

2 + 17 = ☐ 14 - 8 = ☐ 10 - 7 = ☐

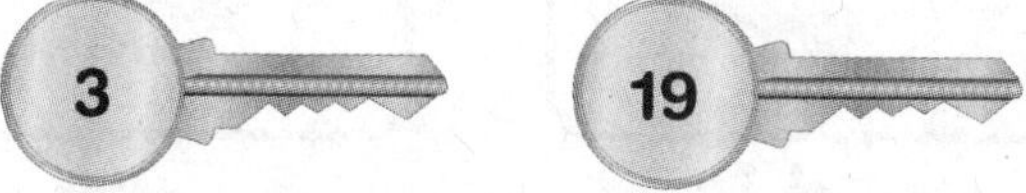

Le traducteur

CHRISTMAS DESSERT

Cookie	Chocolate	Pie
Candies	Cake	Pastry

Le jumeau

1.

2.

3.

4.

Tornades de lettres

Mots entrecroisés

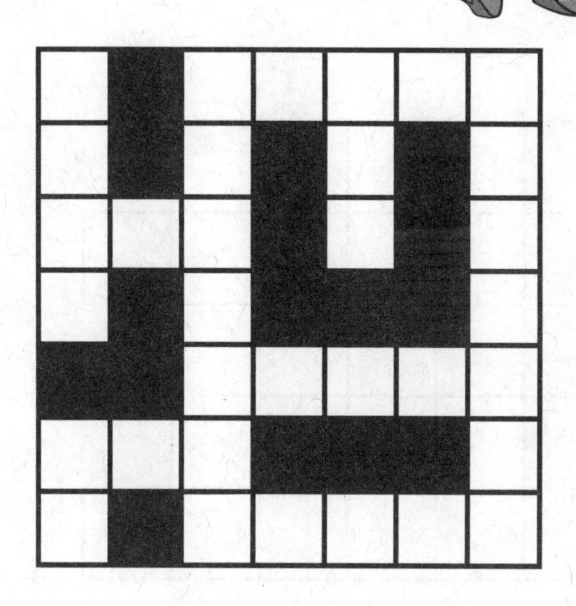

2
Or

3
Ami
Oie
Roi

4
Père

5
Glace
Rêves
Sapin

7
Enfants
Glisser

Mot dans l'ombre

1						
2						
3						
4						
5						

Indice : Le père Noël la consulte.

1 **Il fabrique les cadeaux.**
2 **Gros lézard.**
3 **On y trouve le sapin de Noël.**
4 **Locomotive.**
5 **Tu en es un.**

Mots cachés

D	I	N	V	I	T	E	S	S
V	O	E	U	E	F	E	S	O
M	E	D	R	N	R	C	O	E
A	A	E	O	U	E	O	U	U
M	M	M	T	F	R	U	H	R
A	P	I	I	A	E	S	A	B
N	O	A	S	E	N	I	I	E
V	R	E	P	A	S	N	T	B
V	O	I	S	I	N	T	S	E

Amis
Bébé
Cousin
Dodo
Frère
Invités
Maman
Mamie
Mère
Papi
Repas
Sœur
Souhait
Vœu
Voisin
Voiture

Mot de 7 lettres :

____

De point en point

Mots à découvrir

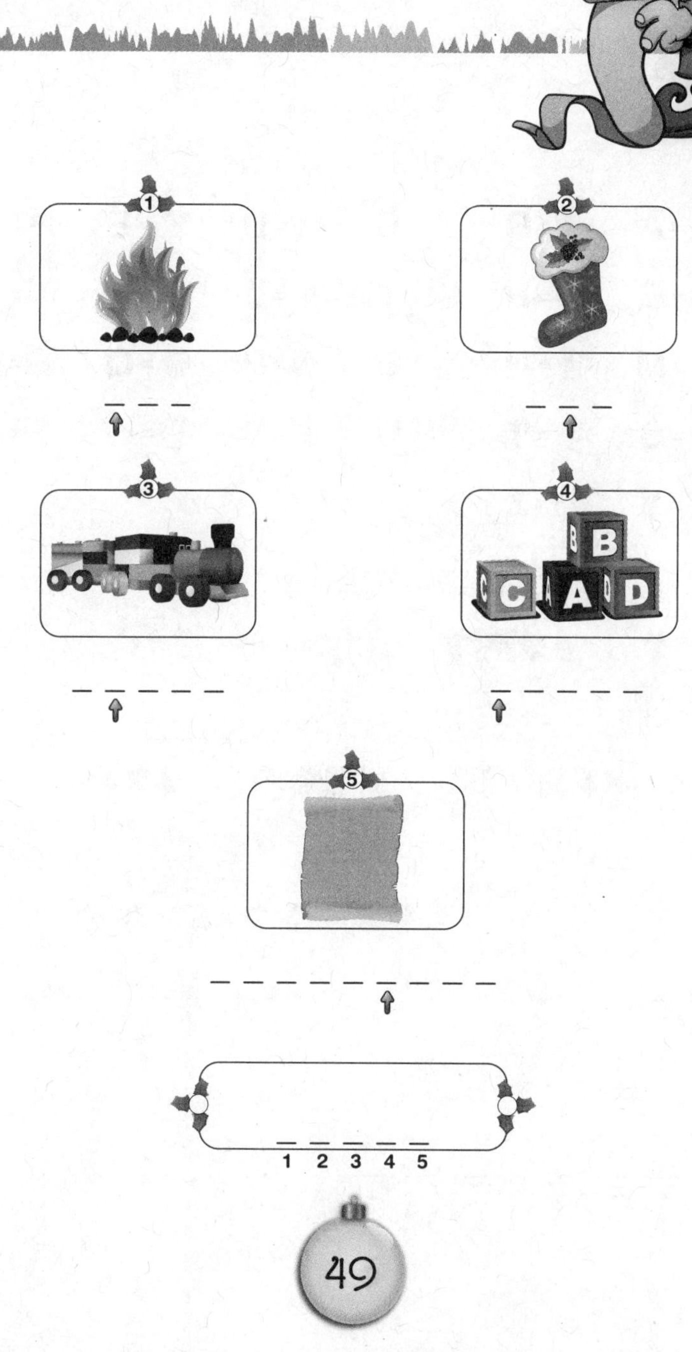

Code secret

=A =B =C =D =E =F

=G =H =I =J =K =L

=M =N =O =P =Q =R

=S =T =U =V =W =X

=Y =Z

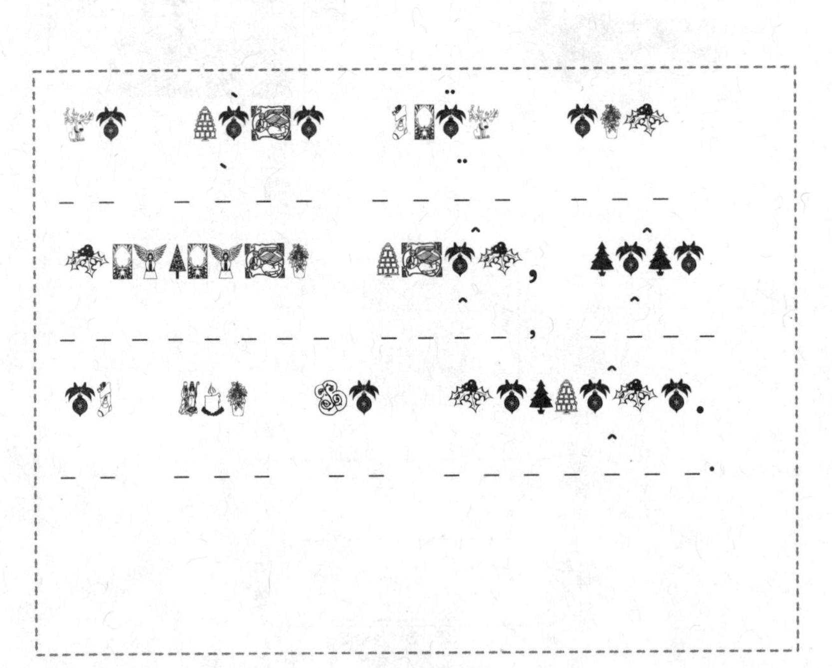

Labyrinthe

Départ

Arrivée

Sudoku

			4	2	
6					
	4	5	3		
			1		
		2		1	
3		1			5

Les ensembles

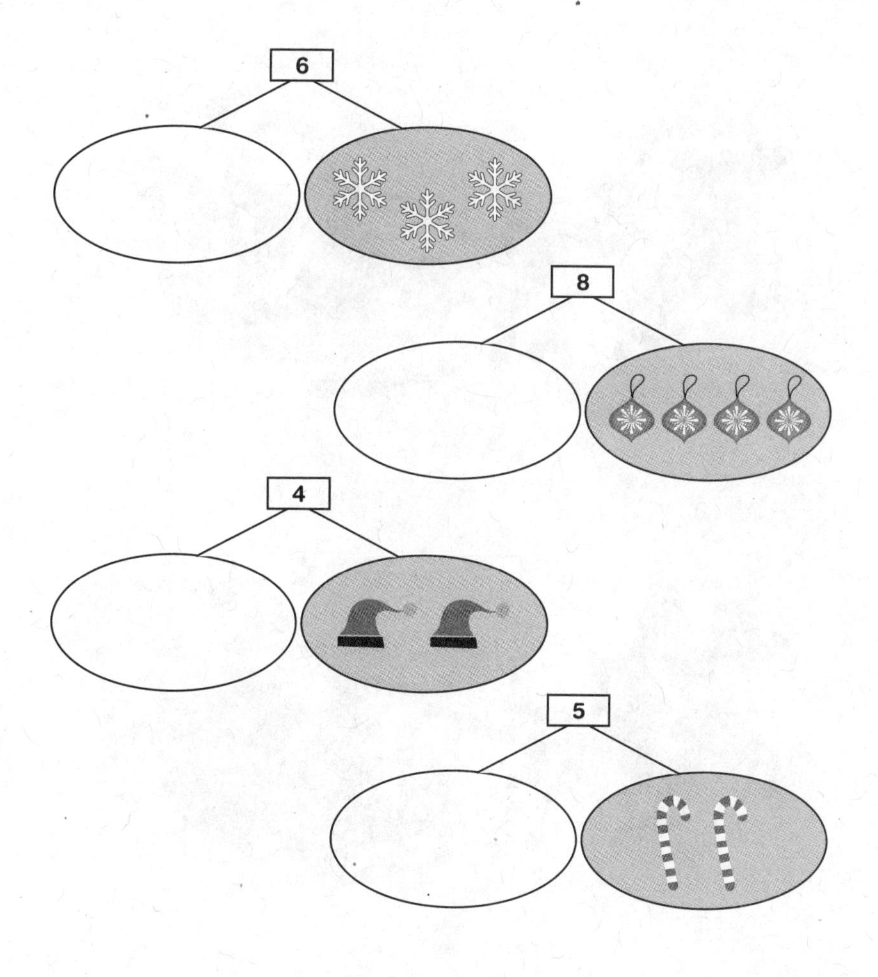

6 erreurs

L'artiste

L'heure

Sudoku dessins

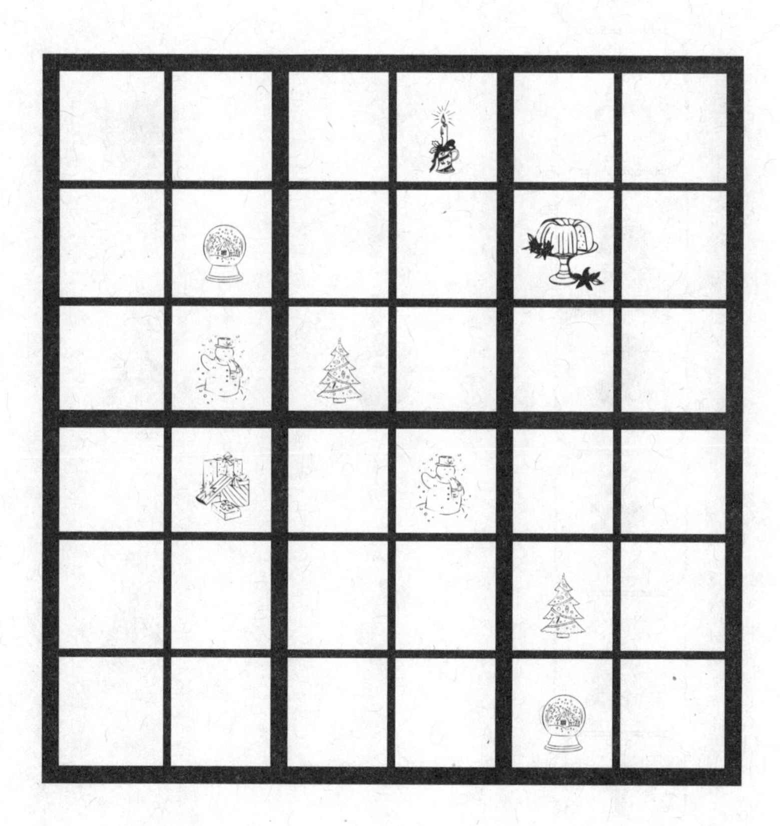

La suite

Dessin à colorier

Bingo

B 1	G 56	B 5	G 59	O 63	G 49	O 61	B 14
N 37	B 13	N 43	O 69	I 23	I 25	B 6	O 62
O 65	O 71	N 39	N 41	N 32	O 64	I 17	N 33
G 57	B 3	G 54	B 15	N 45	G 46	I 18	N 44
I 21	N 42	G 51	G 47	O 66	N 34	G 58	B 7

B	I	N	G	O
11	17	39	60	71
13	18	34	48	61
6	23	Gratuit	47	62
4	26	35	46	65
5	24	44	55	75

Parfaite orthographe

- ◯ **LUMIERRES**
- ◯ **LUMIAIRES**
- ◯ **LUMIÈRES**

Le double

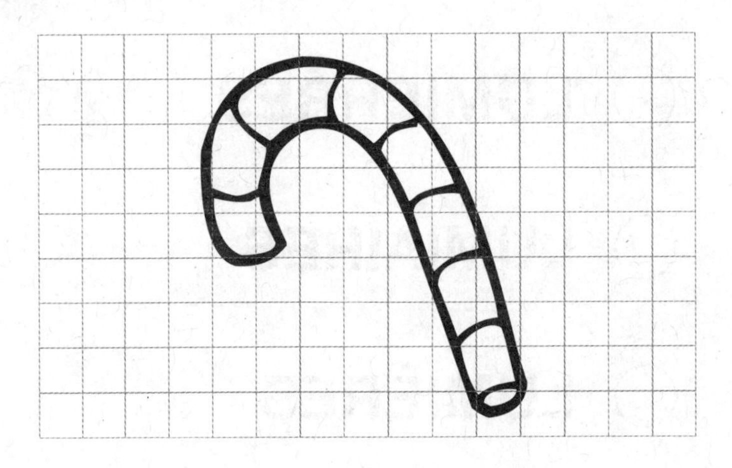

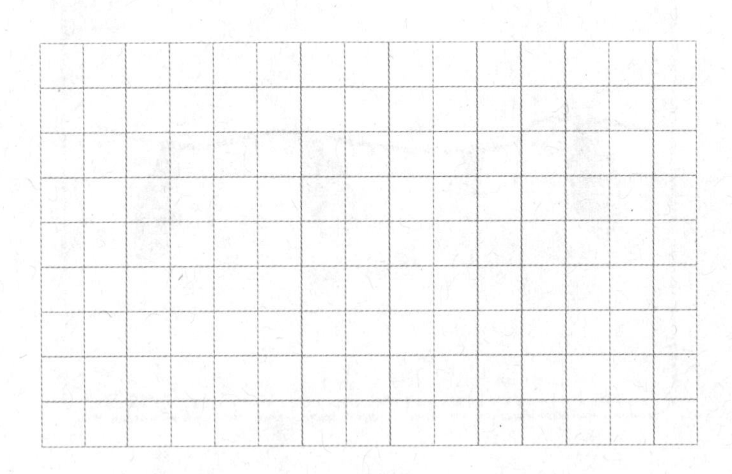

CADEAU

Symétrie

Bourrasques de mots

tarin _ r _ _ _

glroet g _ _ _ _ _

liat _ _ i _

écpsie _ _ _ _ _ s

haecapu _ _ _ p _ _ _

Le serrurier

8 + 7 = ☐ 12 + 2 = ☐ 15 - 11 = ☐

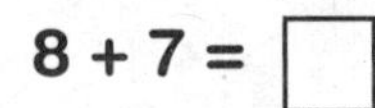

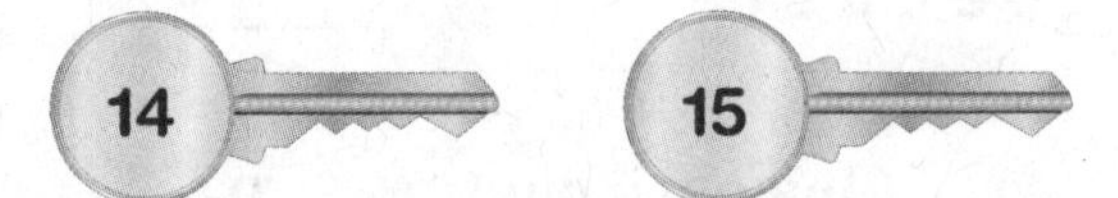

Le traducteur

DECORATIONS

Stocking	**Candle**	**Bells**
Wreath	**Lights**	**Garland**

1. **L _ _ _ t _**
2. **_ _ o _ _ i _ _**
3. **_ _ r _ _ n _**
4. **_ a _ _ l _**
5. **_ r _ _ _ h**
6. **_ _ l _ s**

Le jumeau

1.

2.

3.

4.

Tornades de lettres

Mots entrecroisés

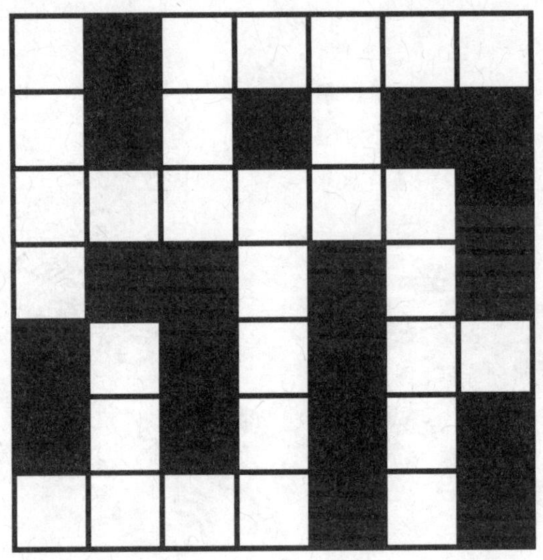

2
Or

3
Ami
Bas
Don

4
Ange
Elfe

5
Blanc
Froid
Tarte

6
Festif

Mot dans l'ombre

1							
2							
3							
4							
5							

Indice : Elle décore le sapin.

1 Les rennes en ont sur la tête.
2 Il a des plumes et peut voler.
3 Qui est seul en son genre.
4 Il accompagne bien les biscuits.
5 Enveloppé de papier-cadeau.

Mots cachés

B	S	F	T	A	R	T	E	R
O	U	O	R	F	A	R	C	E
U	C	D	U	G	L	A	C	E
C	R	E	F	P	I	A	D	N
H	E	L	F	A	E	A	I	P
E	N	I	E	T	L	A	N	O
E	D	C	S	A	P	I	E	M
S	F	E	S	T	I	N	R	M
D	I	N	D	E	S	E	S	E

Bouchées
Délice
Dinde
Dîner
Farce
Festin
Glacé
Pain
Patate
Pomme
Salade
Soupe
Sucre
Tarte
Truffes

Mot de 10 lettres :

____

De point en point

Mots à découvrir

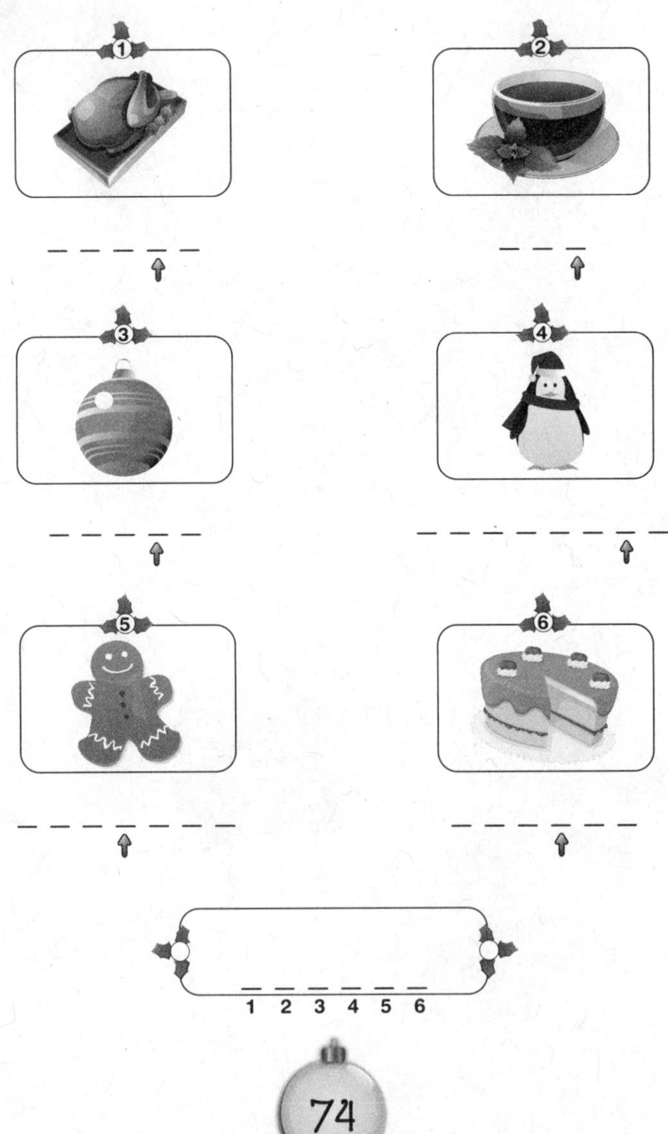

Code secret

= A = B = C = D = E = F

= G = H = I = J = K = L

= M = N = O = P = Q = R

= S = T = U = V = W = X

= Y = Z

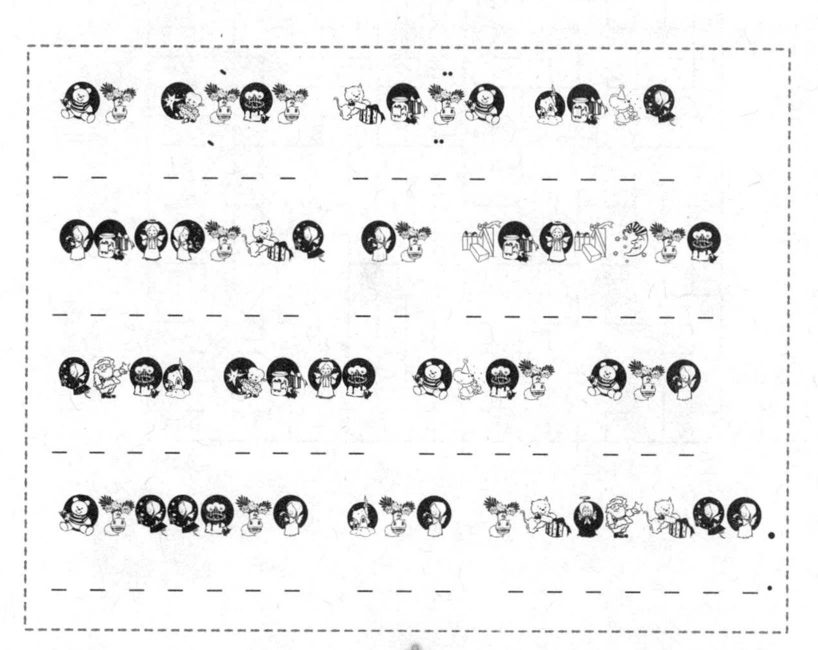

Labyrinthe

Départ

Arrivée

Sudoku

		3			1
6					
		1		3	
		4	5		2
			6		

Les ensembles

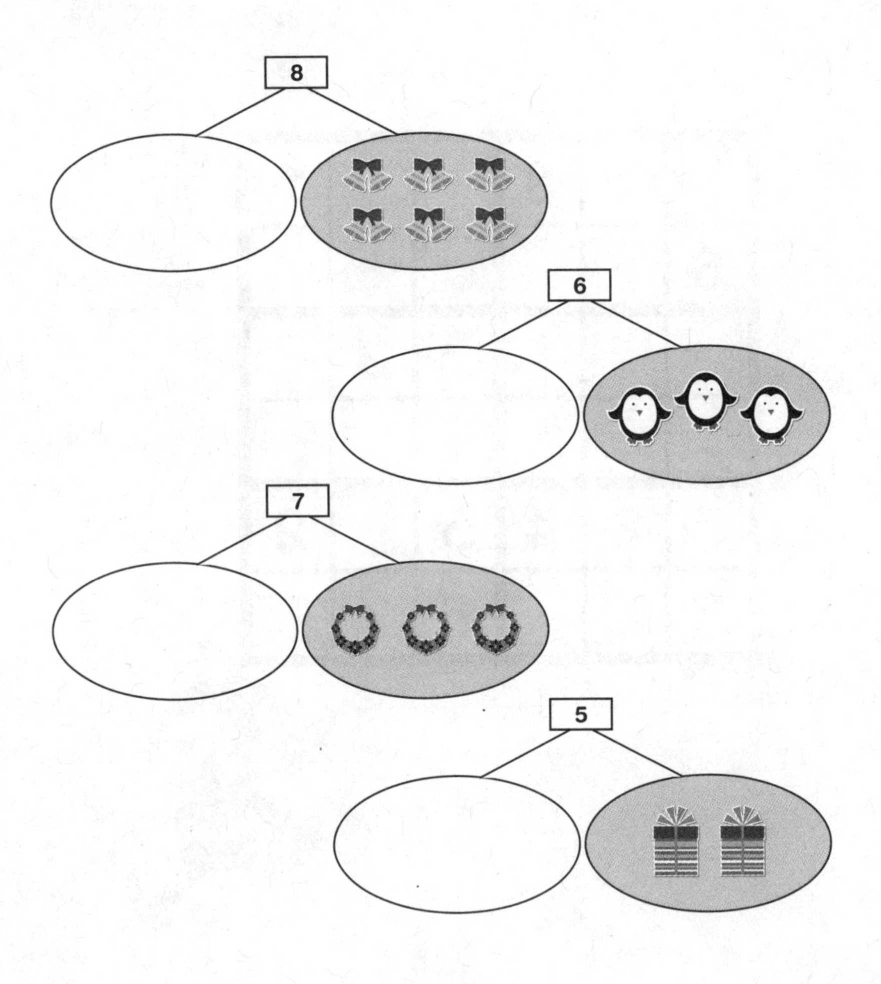

6 erreurs

L'artiste

L'heure

Sudoku dessins

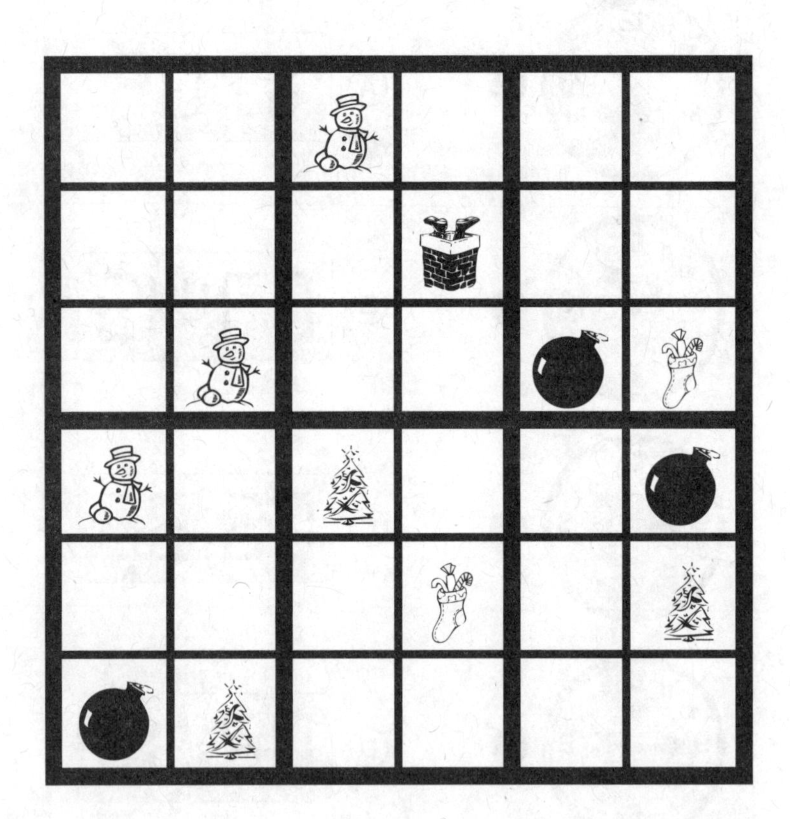

La suite

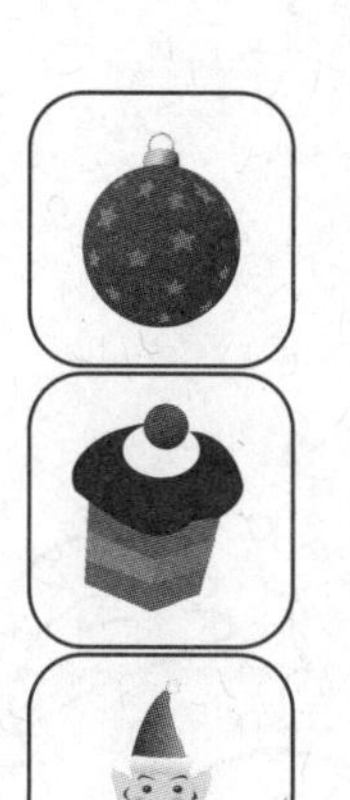

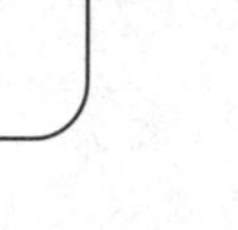

?

Dessin à colorier

Bingo

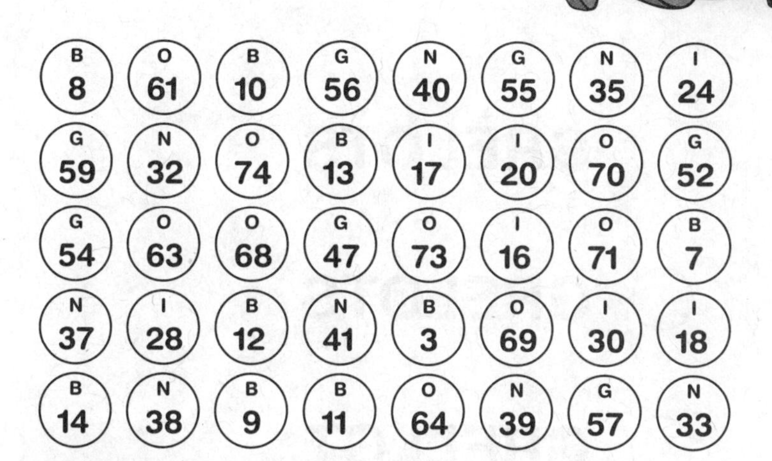

B	I	N	G	O
2	16	33	55	70
11	19	34	47	69
3	17	Gratuit	59	64
10	27	36	60	63
1	28	41	48	75

Parfaite orthographe

- ◯ **GRÈLOTS**
- ◯ **GRELOTS**
- ◯ **GRELLOT**

Le double

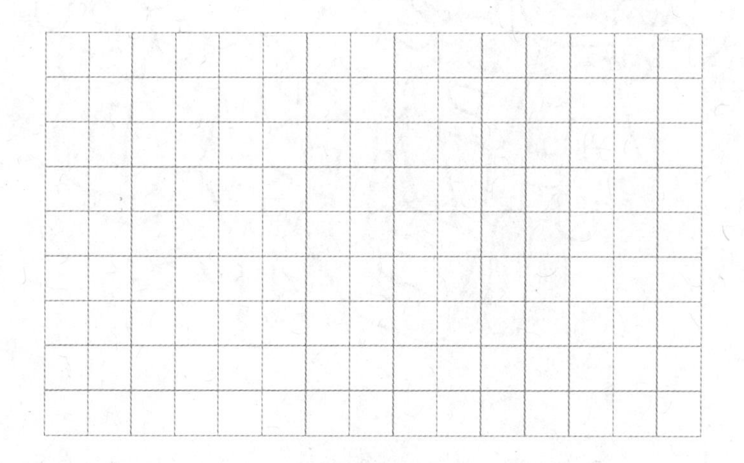

Méli-mélo

DINDE

Symétrie

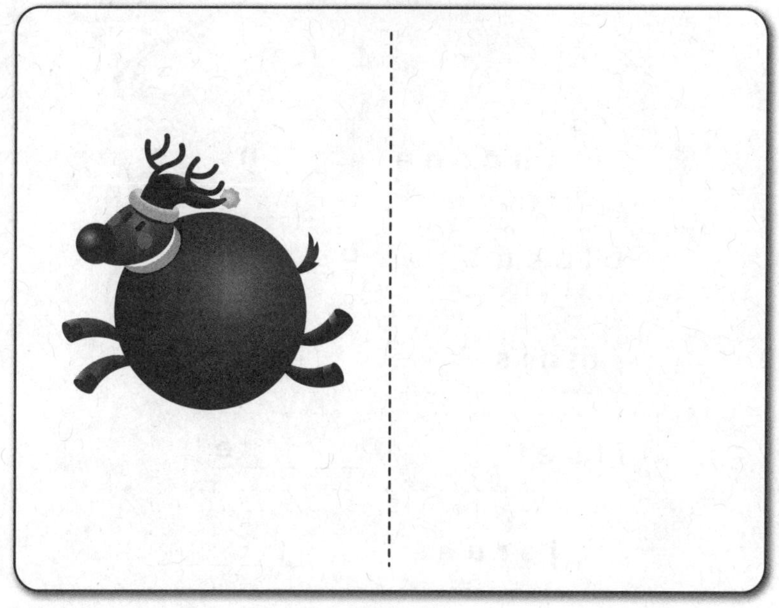

Bourrasques de mots

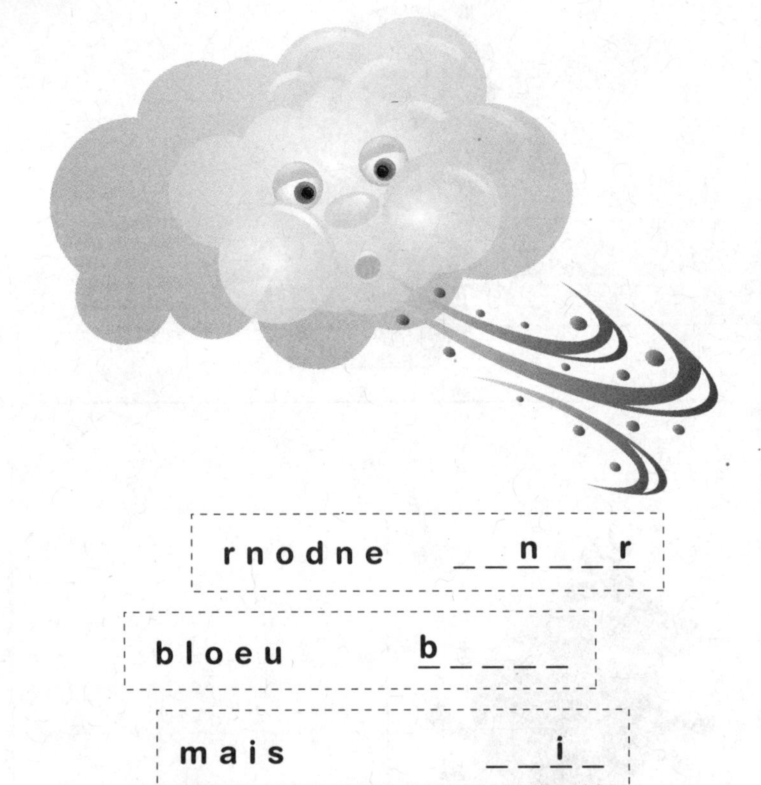

r n o d n e	_ _ n _ _ r
b l o e u	b _ _ _ _
m a i s	_ _ i _
i t s e l	_ _ _ _ e
j o r u e	j _ _ _ _

Le serrurier

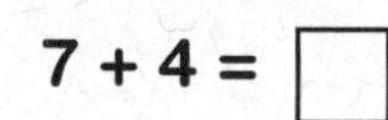

7 + 4 = ☐ 12 + 7 = ☐ 8 - 4 = ☐

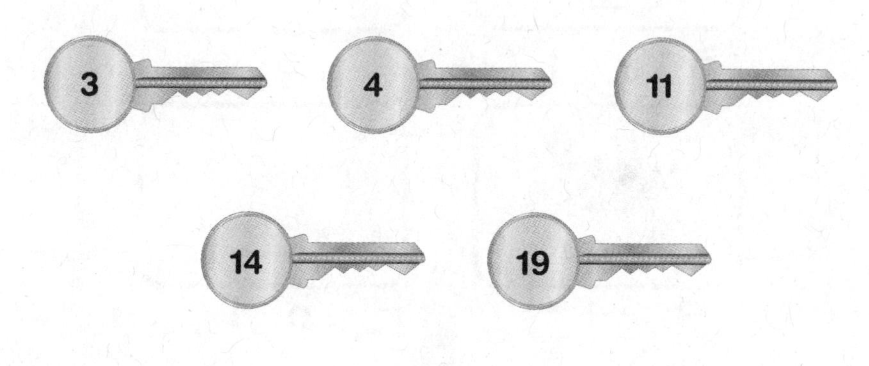

Le traducteur

SANTA'S WORKSHOP

Santa Claus	Elf	Toys
Sleigh	Wrapping	Trolley

1. _ r _ p _ _ n _
2. _ l _
3. _ _ n _ a _ l _ _ s
4. _ o _ s
5. S _ _ i _ _
6. _ _ o _ l _ _

Le jumeau

1.

2.

3.

4.

Tornades de lettres

Mots entrecroisés

2
Or

3
Bas
Jeu
Oie

5
Autos
Sapin
Sauce

6
Nougat
Rennes

7
Pyjamas

Mot dans l'ombre

1							
2							
3							
4							
5							
6							

Indice : Réservé aux enfants sages.

1 Elle sonne le temps des Fêtes.
2 Le père Noël y travaille.
3 Bouger sur de la musique.
4 Fantastique.
5 Métal gris et brillant.

Mots cachés

P	E	I	N	T	U	R	E	J
M	A	I	S	O	N	F	P	O
U	K	C	O	L	L	I	E	R
S	B	R	U	P	E	G	E	P
T	A	O	R	O	C	U	C	U
R	G	B	S	U	A	R	H	L
A	U	O	O	P	R	I	I	L
I	E	T	N	E	T	N	O	T
N	J	E	U	E	E	E	T	S

Bague
Carte
Chiot
Collier
Épée
Figurine
Jeu
Maison
Ourson
Peinture
Poupée
Pull
Robot
Ski
Train

Mot de 6 lettres :

____

De point en point

Mots à découvrir

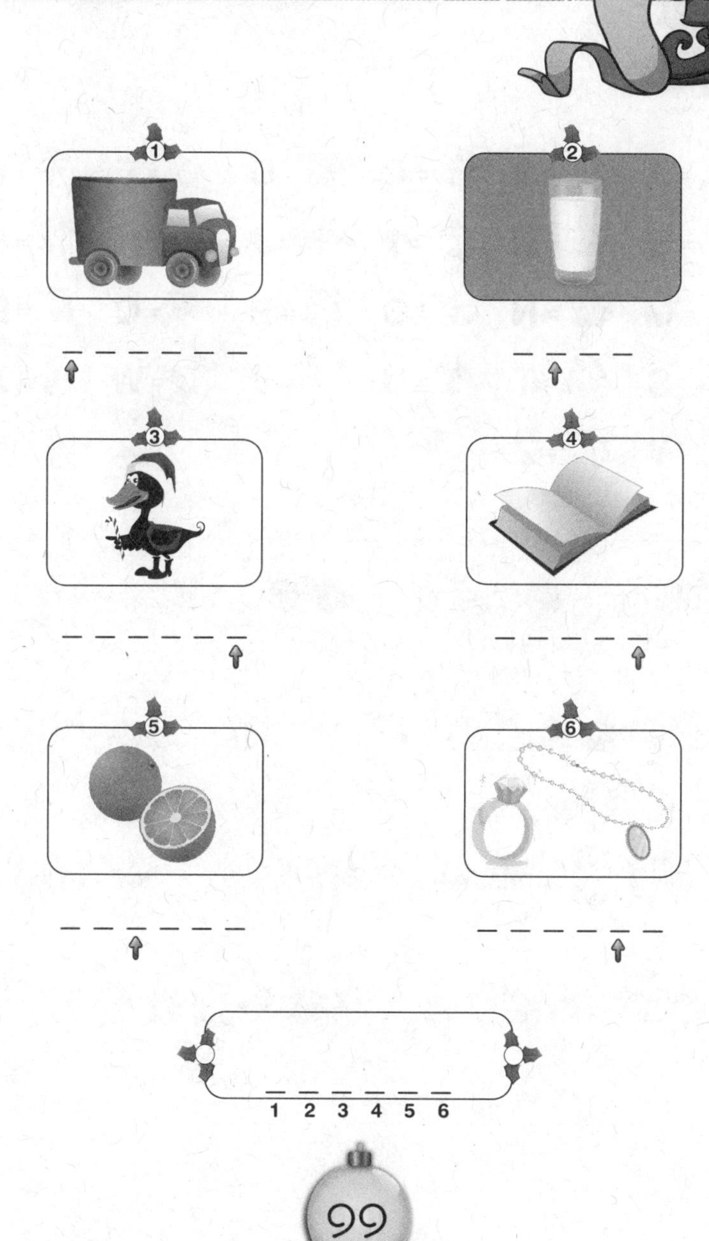

Code secret

=A =B =C =D =E =F

=G =H =I =J =K =L

=M =N =O =P =Q =R

=S =T =U =V =W =X

=Y =Z

_ _ _ _ _ _ _ _ _ _

_ _ _ _ _ _ _ _ _ _ _ _ _

_ _ _ _ _ _ _ _ _ _ _ _ _ _ _

_ _ _ _ _ _ _ _ _ _ _ _ _ _ _ _.

Labyrinthe

Départ

Arrivée

Sudoku

	4				
	2		4	5	3
				4	5
1			3	2	6
	1			3	
5	3				4

Les ensembles

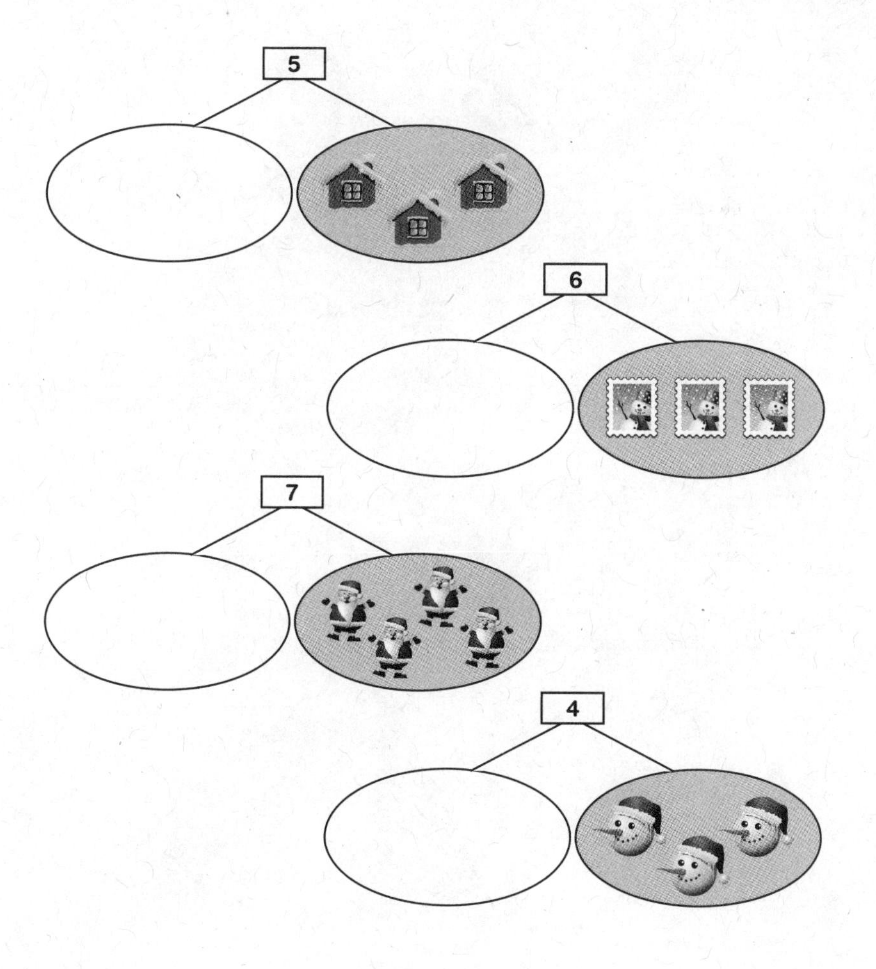

6 erreurs

L'artiste

L'heure

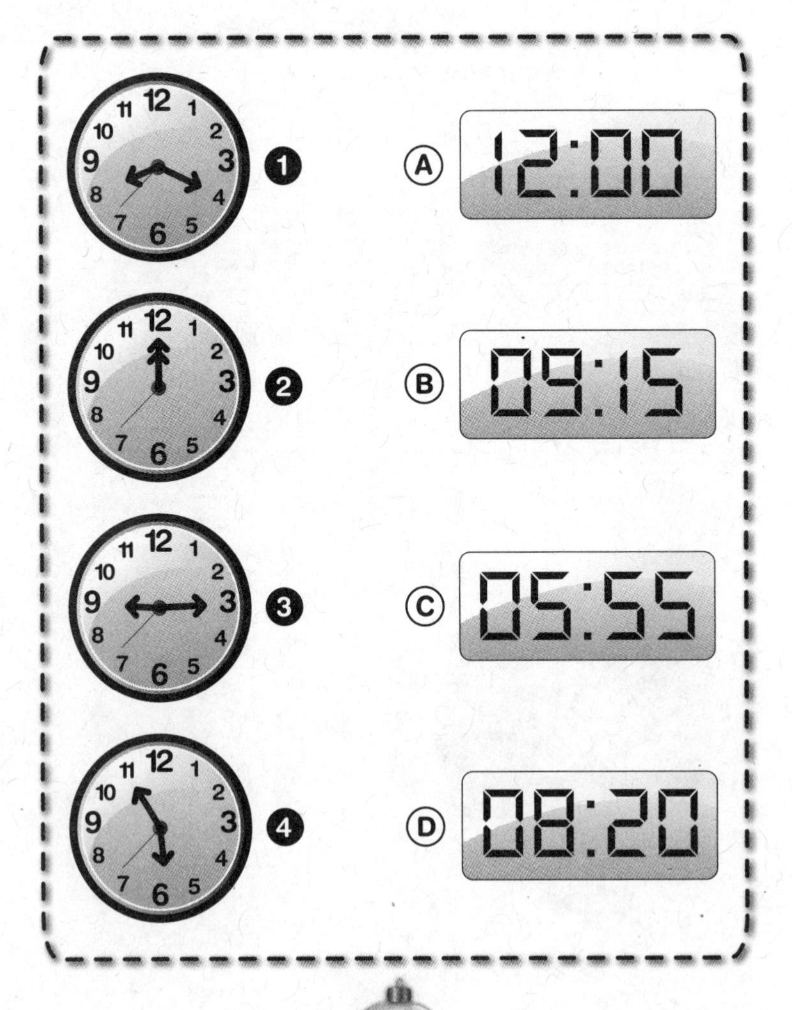

Sudoku dessins

La suite

?

Dessin à colorier

Bingo

O 64	I 25	G 58	B 6	N 43	I 18	N 40	I 22
G 55	G 48	N 45	I 28	G 49	B 8	B 12	G 46
B 13	N 35	N 32	B 2	B 7	B 14	G 51	N 37
N 42	O 69	B 1	B 3	I 29	O 67	O 72	O 75
I 24	O 74	I 20	O 65	I 21	I 27	N 41	G 52

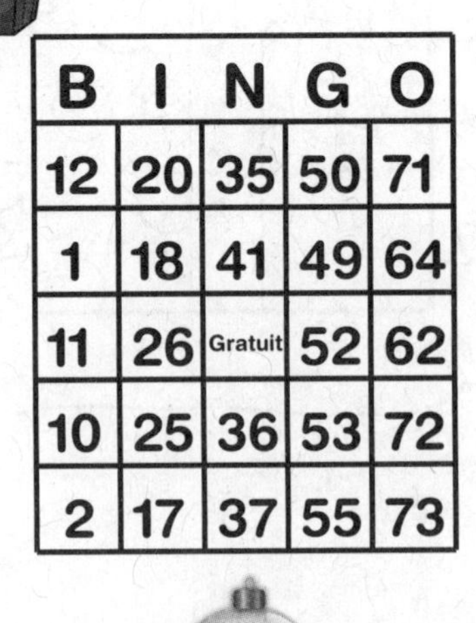

B	I	N	G	O
12	20	35	50	71
1	18	41	49	64
11	26	Gratuit	52	62
10	25	36	53	72
2	17	37	55	73

Parfaite orthographe

◯ **GATEAU**

◯ **GÂTEAU**

◯ **GATTEAU**

Le double

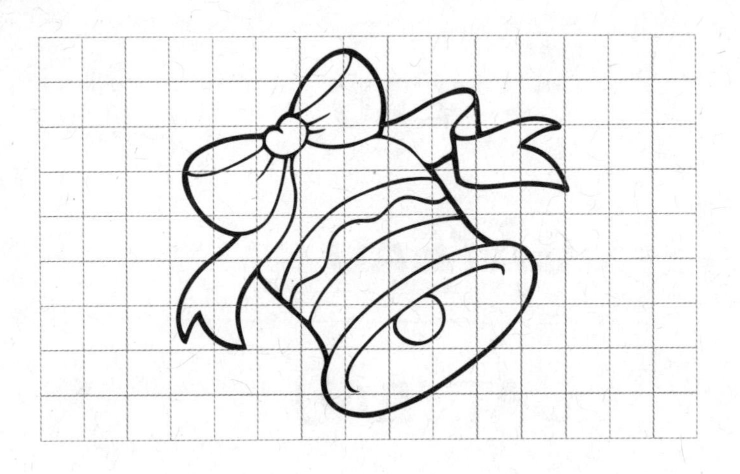

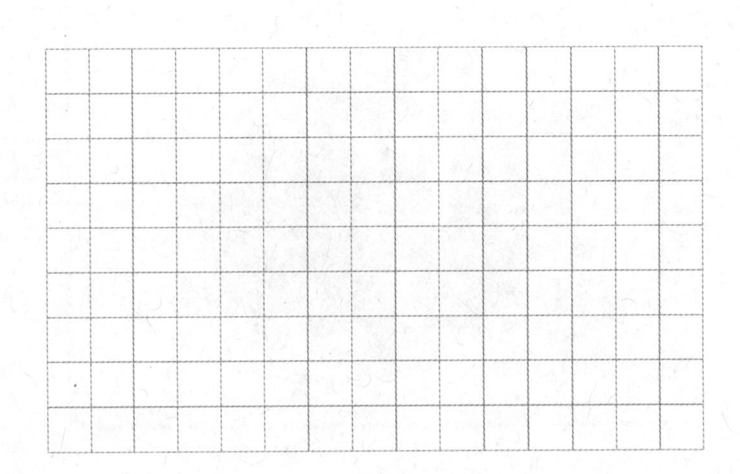

Méli-mélo

CLOCHE

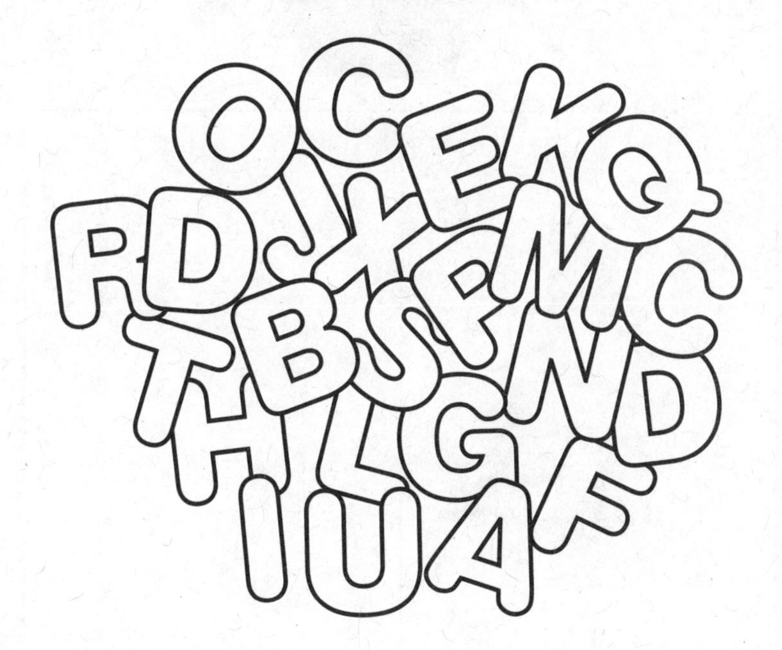

Symétrie

Bourrasques de mots

itot	t _ _ _
bloeuc	b _ _ _ _ _
gena	_ _ g _
bruan	_ _ _ _ n
èluimre	l _ _ _ _ _ _

Le serrurier

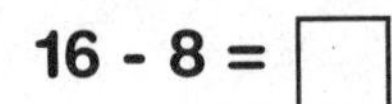

14 - 7 = □

5 + 5 = □

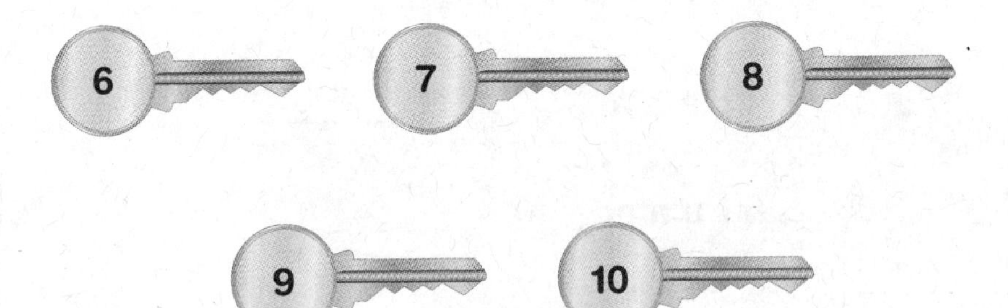

Le traducteur

WISH LIST

Ball	Truck	Doll
Guitar	Teddy bear	Train

_ _ a _ n

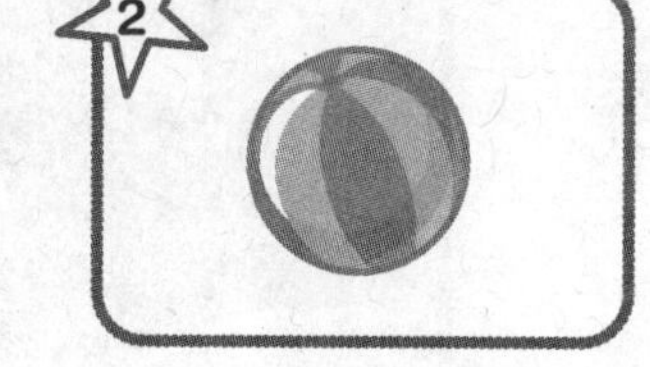

_ _ l _

D _ _ l

_ u i _ _ _

_ _ d _ y _ e _ r

_ r _ _ k

Le jumeau

1.

2.

3.

4.

Tornades de lettres

Mots entrecroisés

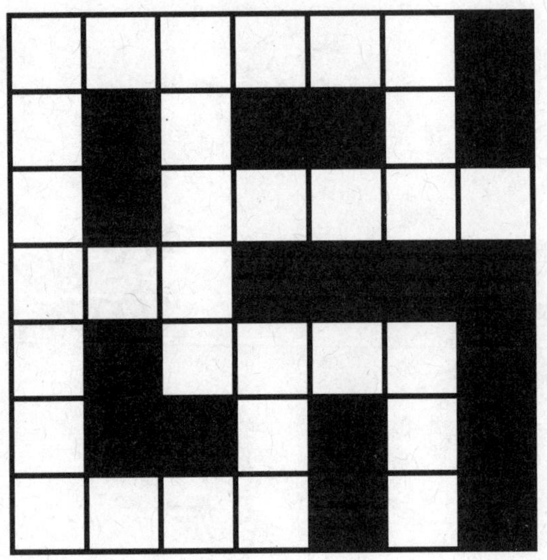

3
Ami
Don
Oie
Roi

4
Elfe
Nord

5
Lutin
Train

6
Éclair

7
Écharpe

Mot dans l'ombre

1							
2							
3							
4							
5							

Indice : Bonbon de Noël.

1 **Le nez du bonhomme de neige.**
2 **Copains.**
3 **Elle tombe du ciel en hiver.**
4 **Ils passent devant le soleil.**
5 **Conséquence.**

Mots cachés

G	R	U	E	N	O	M	S	T
R	S	C	O	L	L	E	E	O
U	L	A	H	B	F	S	S	U
J	T	U	C	O	I	E	O	R
O	I	A	T	R	U	E	I	N
U	S	N	P	I	C	F	E	E
E	S	R	E	N	N	E	S	V
T	U	C	I	S	E	A	U	I
S	S	P	L	I	S	T	E	S

Chou
Ciseau
Colle
Elfe
Fée
Grue
Jouet
Liste
Lutin
Noms
Pince
Rennes
Sac
Soie
Surprise
Tissus
Tournevis

Mot de 5 lettres :

____

De point en point

Mots à découvrir

Code secret

= A = B = C = D = E = F

= G = H = I = J = K = L

= M = N = O = P = Q = R

= S = T = U = V = W = X

= Y = Z

_ _ _ _ _ _ _ _ _ _ _ _

_ _ _ _ _ _ _ _ _ _ _ _ _ _ _ _

_ _ _ _ _ _ _ _ _ _ _.

Labyrinthe

Départ

Arrivée

Sudoku

	1	3			
					5
		1		4	
	6	2			
	2			5	3
					2

Les ensembles

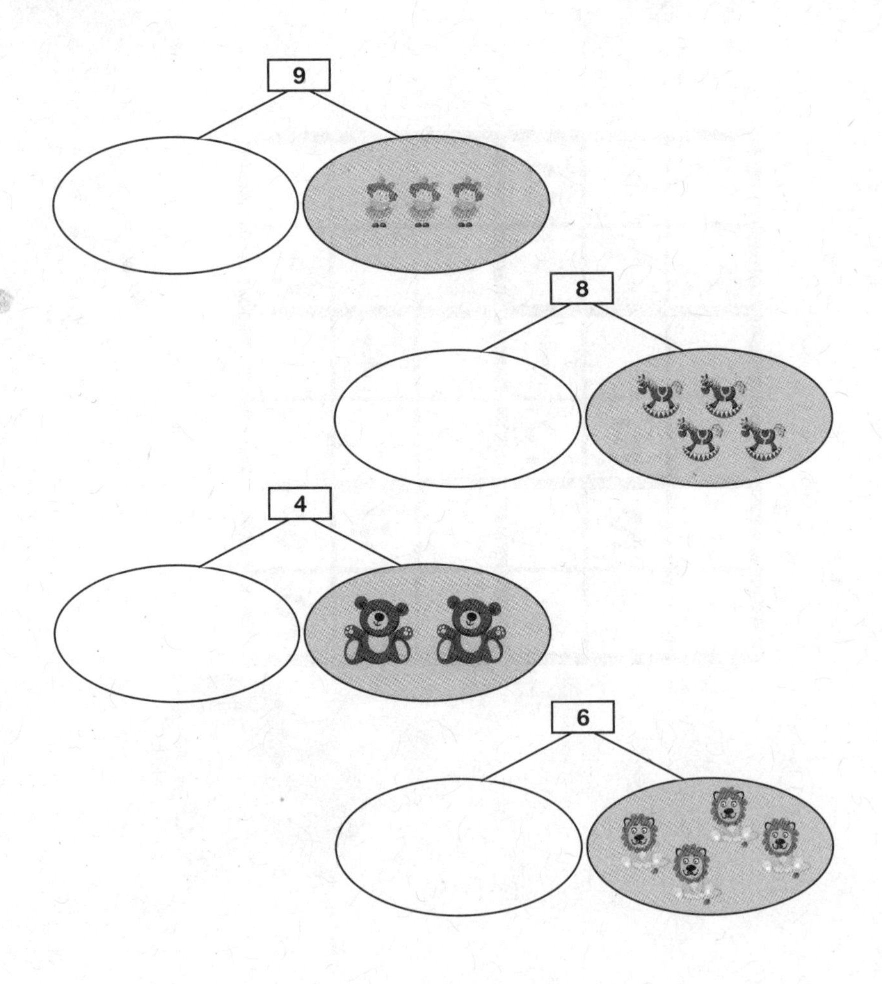

6 erreurs

L'artiste

L'heure

Sudoku dessins

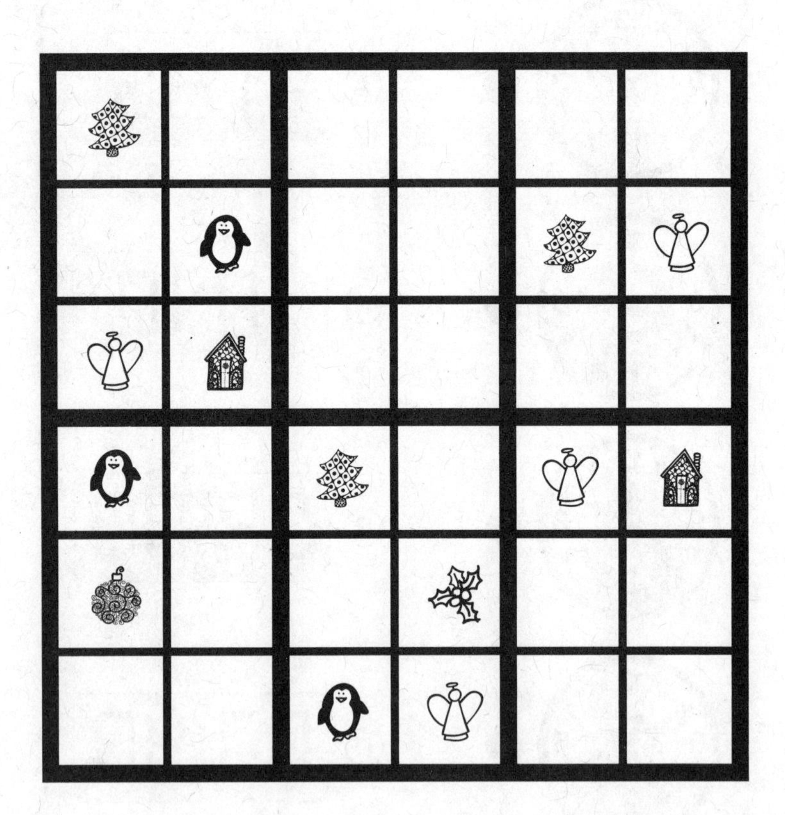

La suite

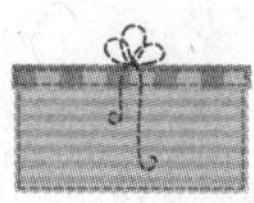

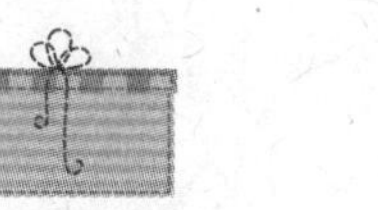

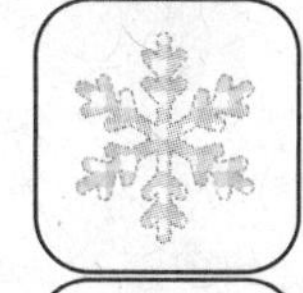

Dessin à colorier

Bingo

B	I	N	G	O
4	26	40	49	69
5	24	32	48	68
13	25	Gratuit	55	67
11	23	31	56	74
3	22	34	53	62

Parfaite orthographe

○ **LISE**

○ **LISTE**

○ **LYST**

Le double

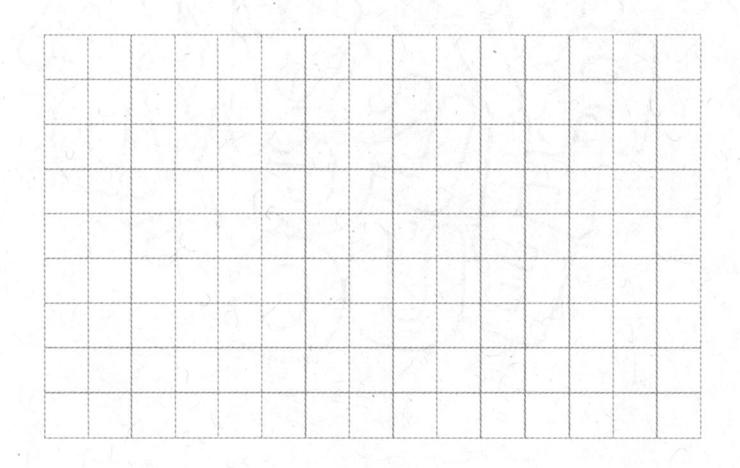

GUIRLANDE

Symétrie

Bourrasques de mots

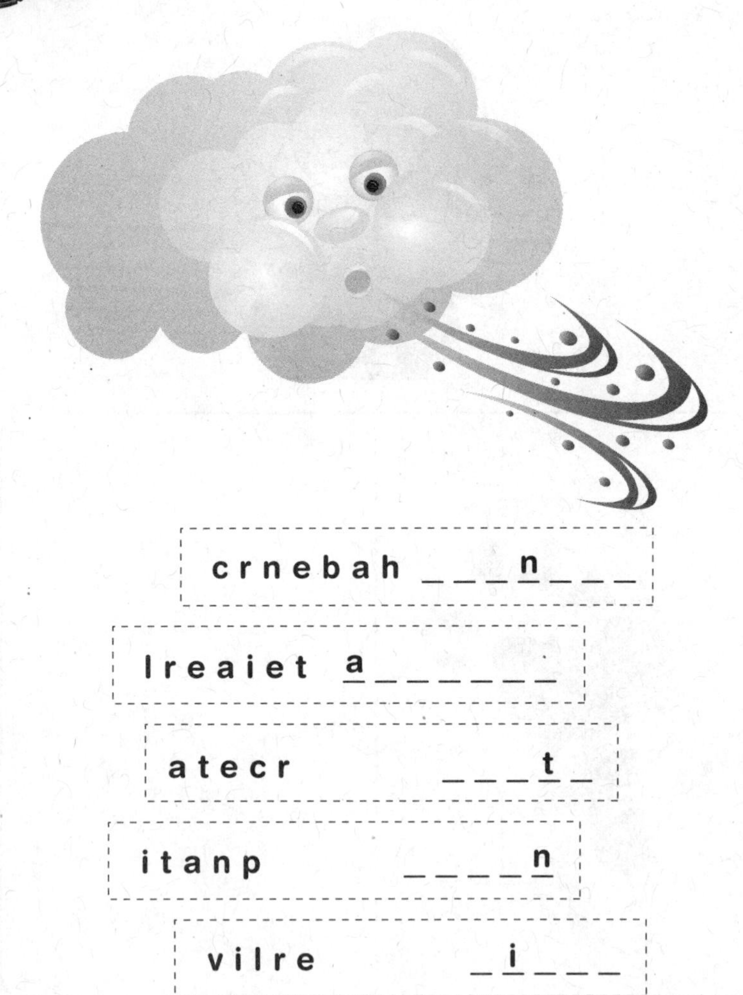

crnebah ___n___

lreaiet a_______

atecr ___t_

itanp ____n

vilre _i___

Le serrurier

14 + 4 = ☐   17 - 7 = ☐   14 - 7 = ☐

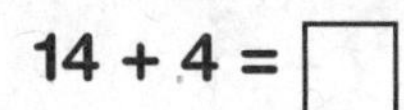

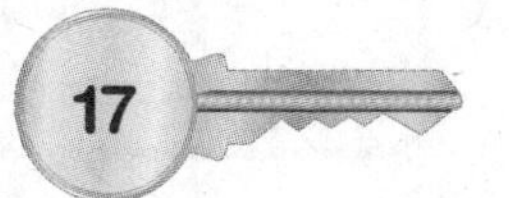

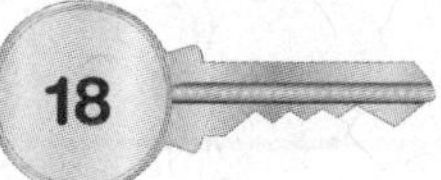

Le traducteur

CHRISTMAS TREE

Angel	Ribbon	Gifts
Branches	Living room	Snow flakes

1

2

3

_ _ f _ s

4

_ _ v _ n _ _ o _ m

5

_ n _ w f _ _ k _ _

6

_ _ g _ l

Le jumeau

1.

2.

3.

4.

Tornades de lettres

Mots entrecroisés

2
Or

3
Oie
Roi

4
Noël
Rire

5
Rêves
Rouge
Ruban

6
Bougie
Ourson

Mot dans l'ombre

1								
2								
3								
4								
5								

Indice : Petits chérubins.

1. **Il tire le traîneau du père Noël.**
2. **Le pôle...**
3. **Dessert de fête.**
4. **Elle vient avant le repas principal.**
5. **L'opposé de salé.**

Mots cachés

L	U	M	I	E	R	E	S	R
C	F	H	V	B	A	S	C	U
O	D	O	R	E	E	U	L	B
R	O	T	Y	O	R	X	O	A
J	B	T	N	E	U	T	C	N
A	L	E	R	O	R	G	H	G
U	A	N	H	A	N	G	E	U
N	N	E	N	E	I	G	E	I
E	C	A	R	D	I	N	A	L

Ange
Bas
Blanc
Cardinal
Cloche
Dorée
Foyer
Gui
Hotte
Houx
Jaune
Lumières
Neige
Rouge
Ruban
Train
Vert

Mot de 8 lettres :

____

De point en point

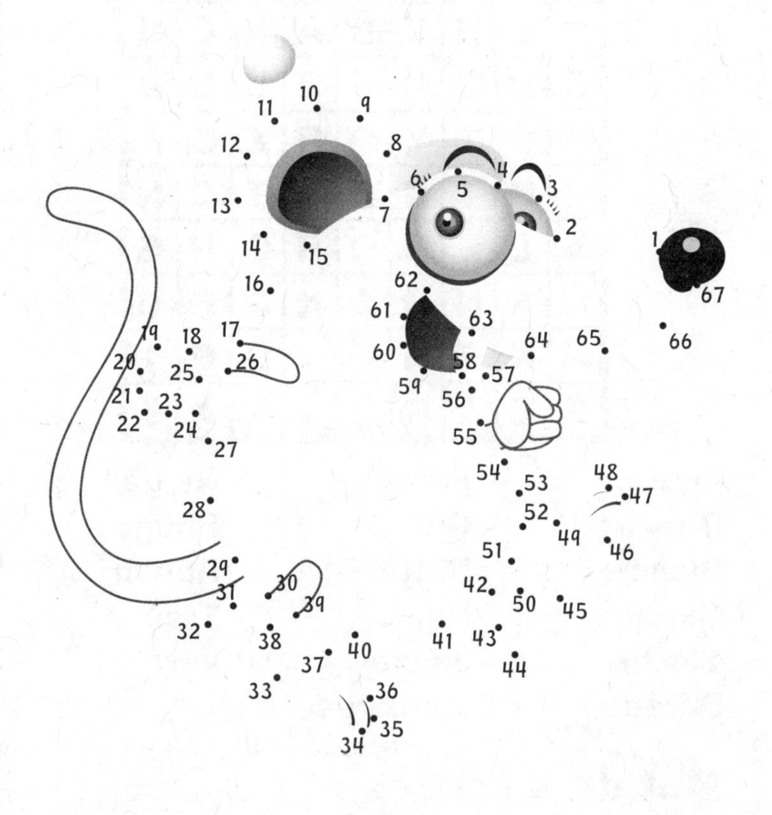

Mots à découvrir

Code secret

=A =B =C =D =E =F
=G =H =I =J =K =L
=M =N =O =P =Q =R
=S =T =U =V =W =X
=Y =Z

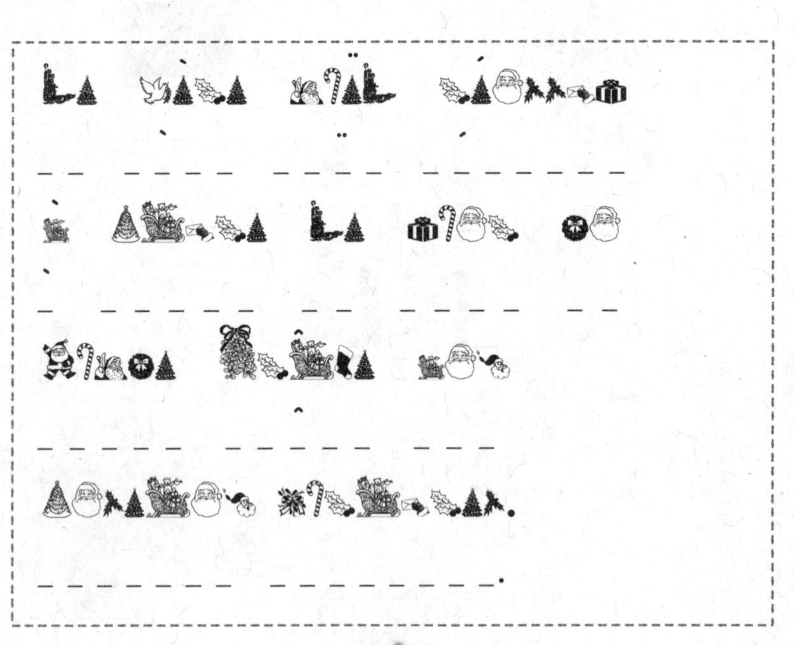

Labyrinthe

Départ

Arrivée

Sudoku

3	6				
		2		3	1
6	3	4	5		2
		5		6	
	4				6
5		6	1	4	

Les ensembles

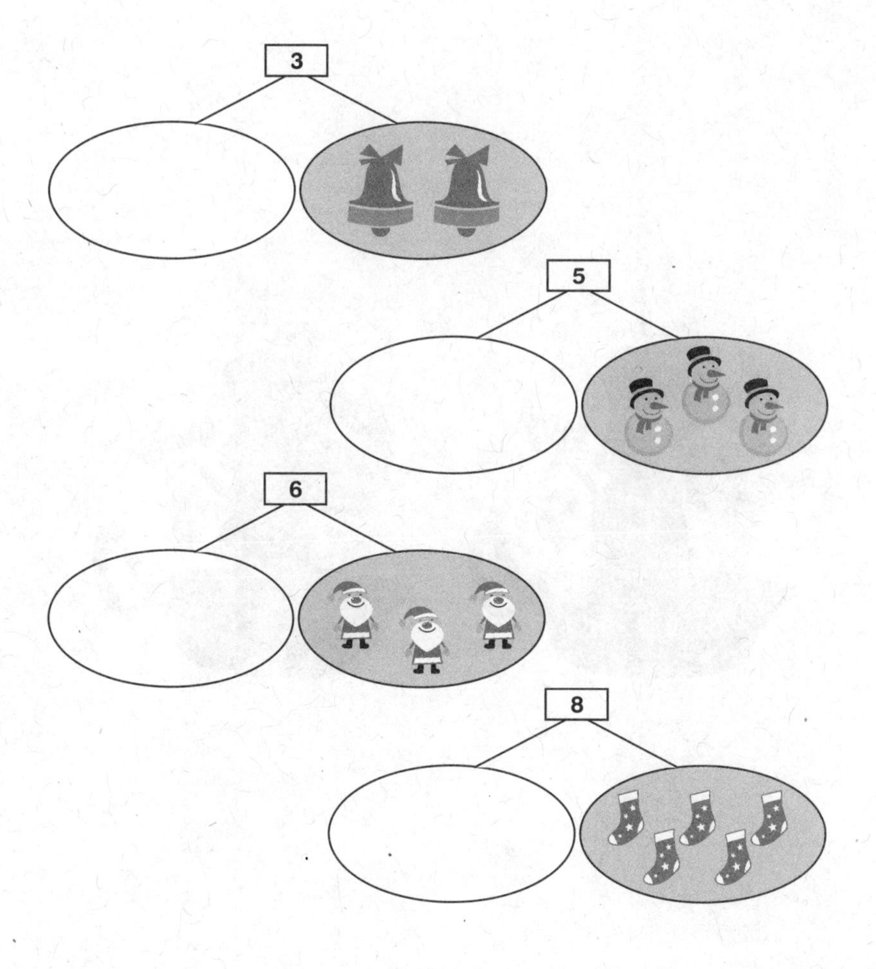

6 erreurs

L'artiste

L'heure

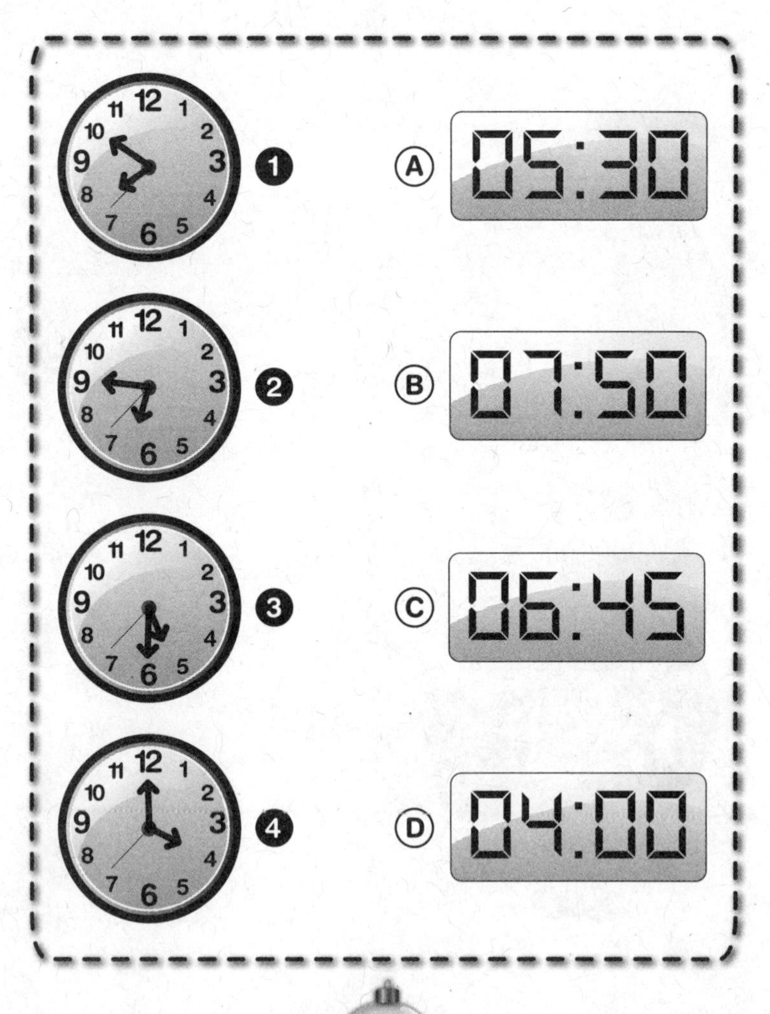

Sudoku dessins

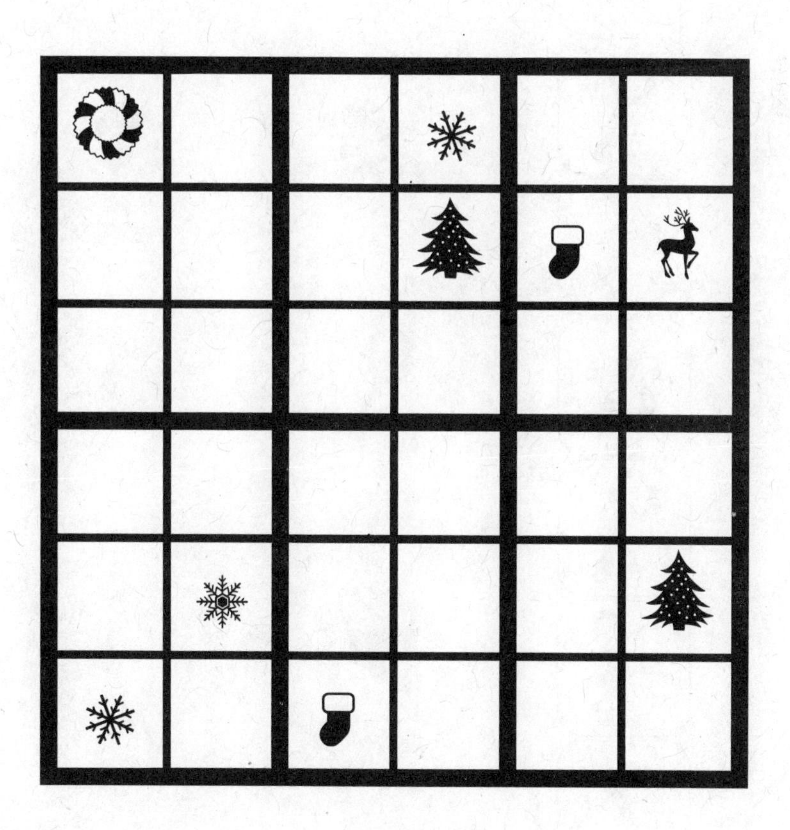

La suite

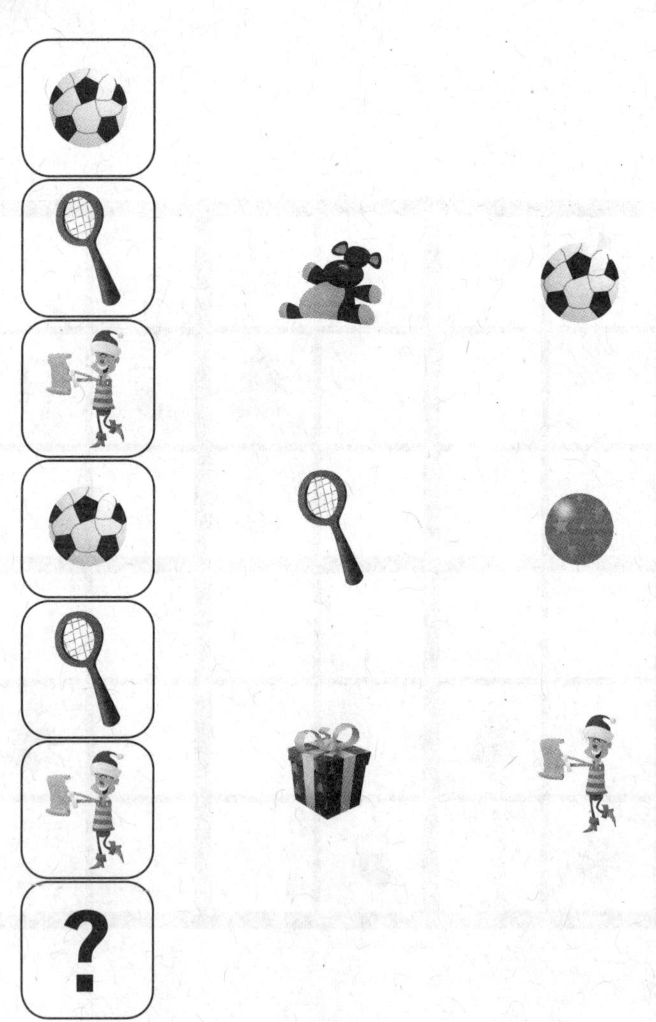

Dessin à colorier

Bingo

O 63	O 71	G 56	I 22	B 8	O 69	O 75	B 11
G 48	G 60	B 9	B 7	G 58	N 43	B 1	O 64
I 25	G 54	O 65	I 18	G 53	N 37	O 66	I 17
B 14	N 39	N 41	N 44	N 31	I 30	O 72	I 29
N 42	B 3	N 32	B 2	I 16	O 61	N 40	O 67

B	I	N	G	O
8	27	43	57	64
5	19	31	55	71
11	18	Gratuit	58	70
14	25	32	48	66
12	28	34	49	67

Parfaite orthographe

○ **NAIGE**

○ **NEIJE**

○ **NEIGE**

Le double

Méli-mélo

BOUGIE

Symétrie

Bourrasques de mots

pépoeu p _ _ _ _ _

presa _ e _ _ _

fele _ _ f _

egnie _ _ _ _ e

xohu h _ _ _

Le serrurier

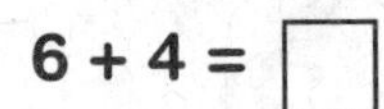

6 + 4 = ☐ 15 + 5 = ☐ 13 - 11 = ☐

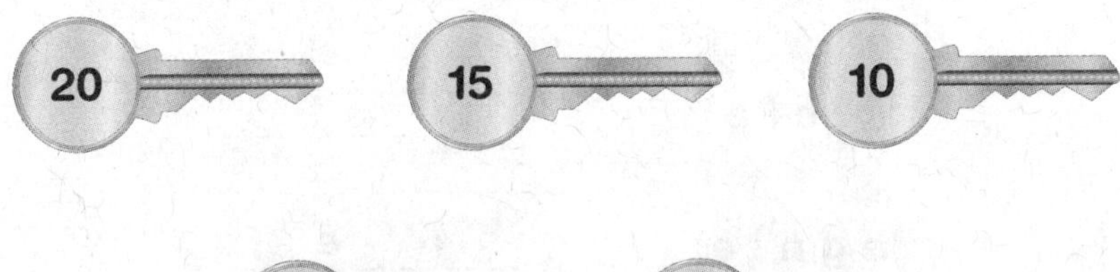

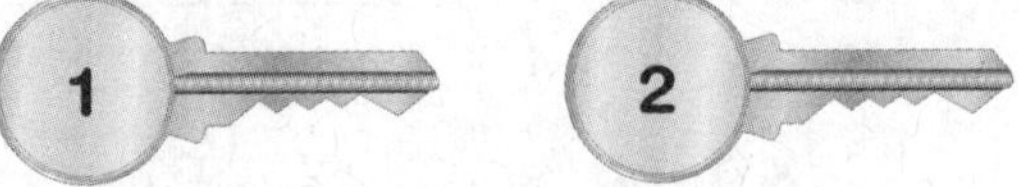

Le traducteur

SANTA CLAUS

Beard	**Boots**	**Coat**
Pants	**Cap**	**Belt**

_ _ p

_ _ a _ d

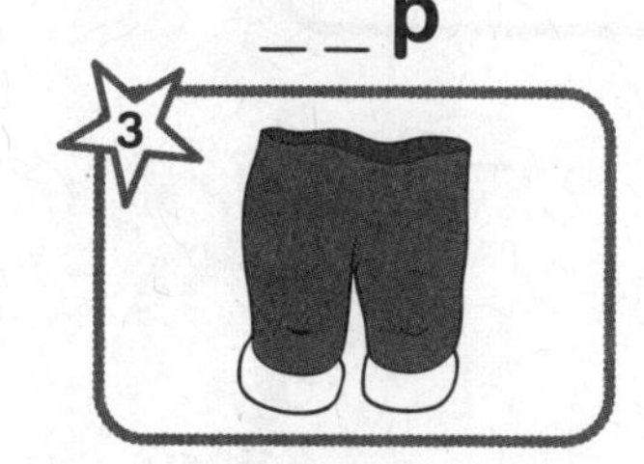

_ _ n _ s

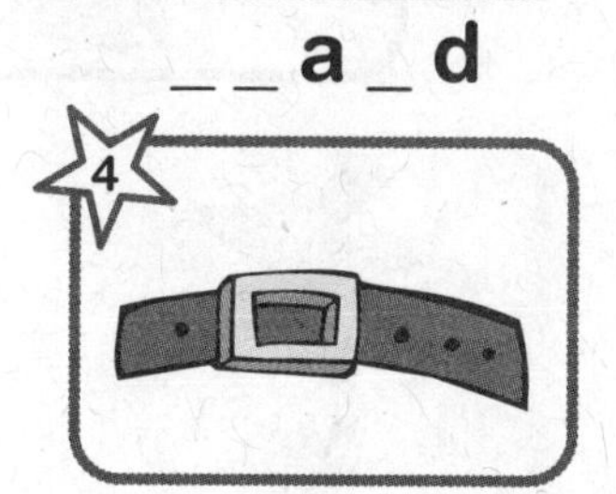

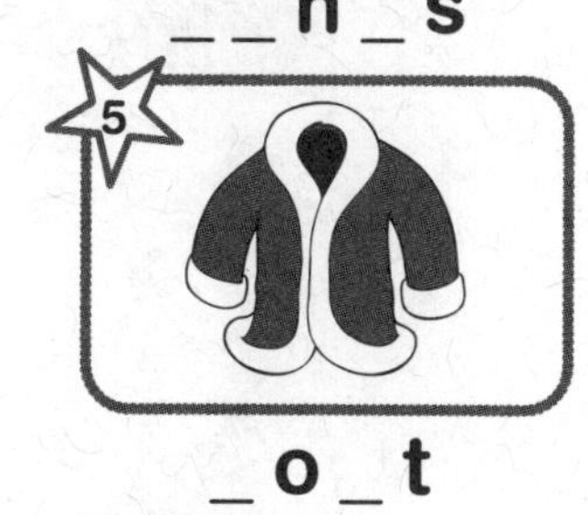

_ o _ t

_ o o _ _

Le jumeau

1.

2.

3.

4.

Tornades de lettres

Mots entrecroisés

3	5	6
Don	Décor	Contes
Fée	Glace	
Feu	Neige	
Oie	Sauce	
Roi		

Mot dans l'ombre

1							
2							
3							
4							
5							

Indice : On aime en recevoir en cadeau.

1 Ce que papa lit le matin.
2 Contient le bébé de l'oiseau.
3 Qui peut servir.
4 L'opposé de il.
5 Dessert de pâte.

Mots cachés

C	D	E	S	S	E	R	T	B
A	J	U	J	U	B	E	C	O
N	B	O	N	B	O	N	H	N
E	G	L	A	C	A	G	E	H
L	T	O	I	T	O	S	M	M
L	A	B	I	S	C	U	I	T
E	P	I	C	E	M	C	N	M
P	O	R	T	E	E	R	E	U
M	A	N	G	E	R	E	E	R

Biscuit
Bonbon
Canelle
Cheminée
Dessert
Épice
Glaçage
Jujube
Lait
Manger
Mur
Porte
Sucre
Toit

Mot de 8 lettres :

____

De point en point

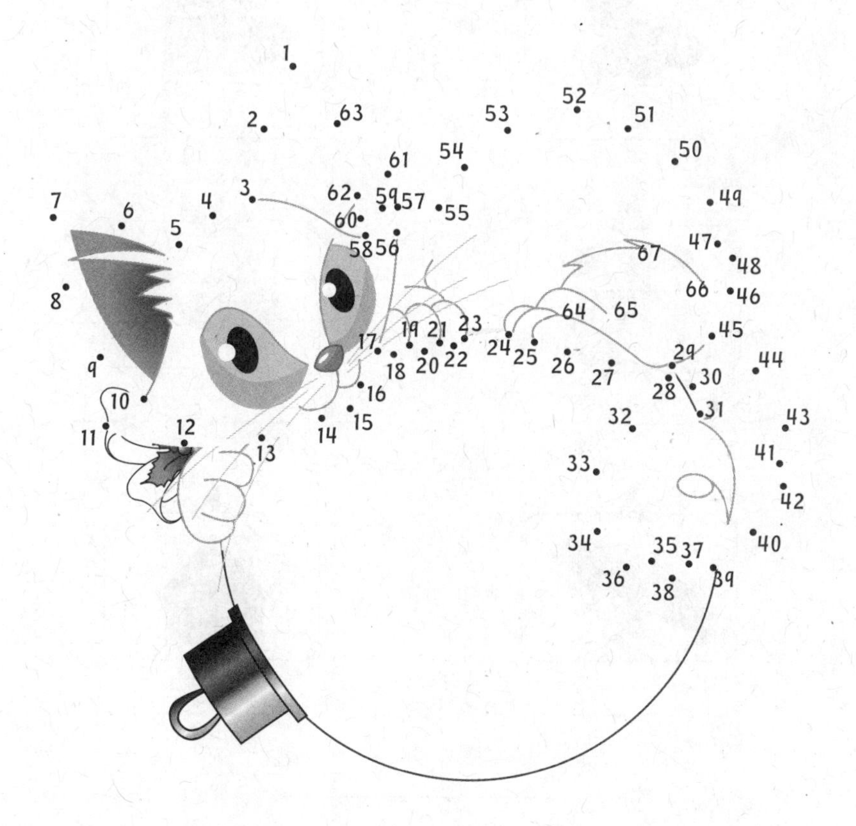

Mots à découvrir

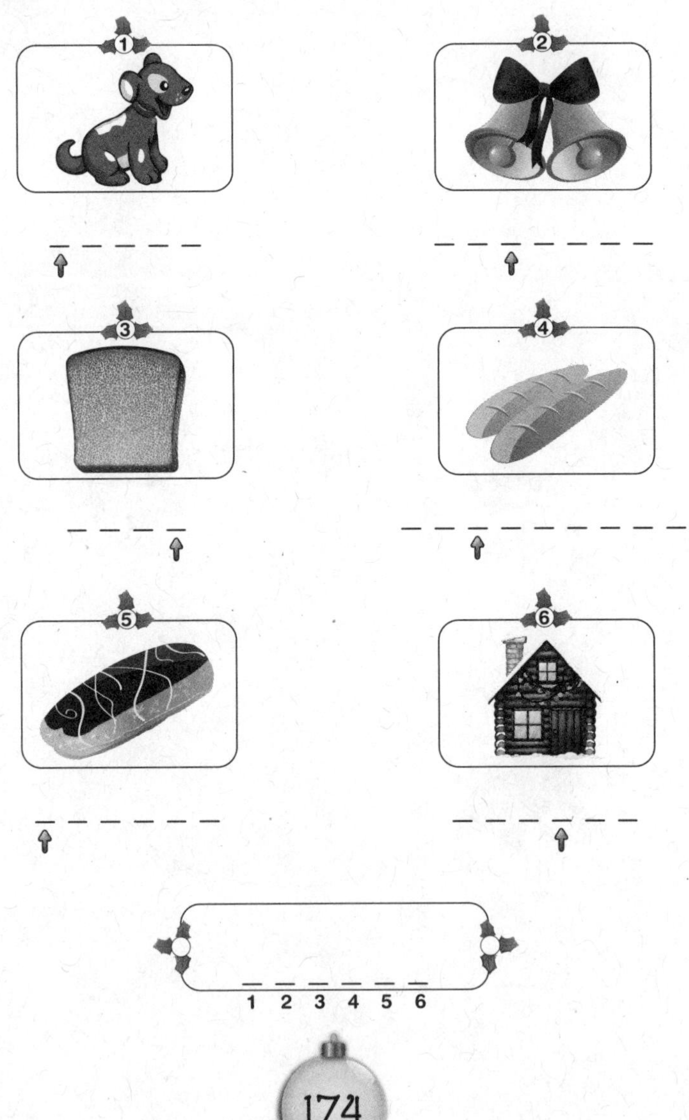

Code secret

= A = B = C = D = E = F

= G = H = I = J = K = L

= M = N = O = P = Q = R

= S = T = U = V = W = X

= Y = Z

__ _____ __ ____ ____

___ ________ __ __

________ _ ________.

Labyrinthe

Départ

Arrivée

Sudoku

		5			3
	2		5		
1					
2	5		4		
				6	
	3			2	

Les ensembles

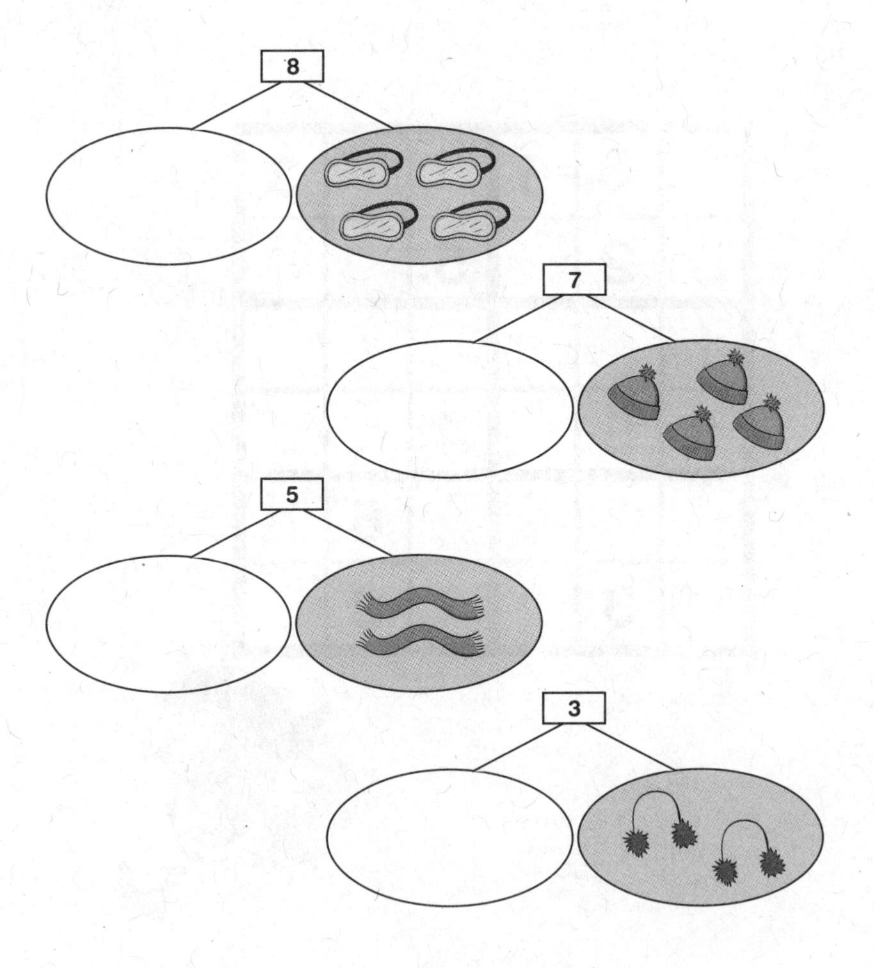

6 erreurs

L'artiste

L'heure

Sudoku dessins

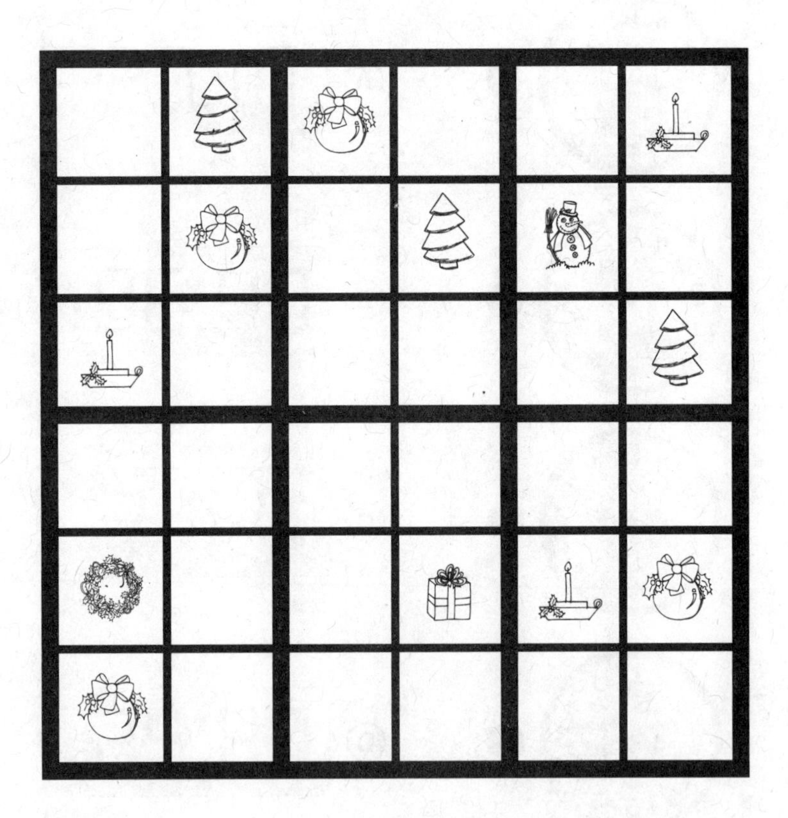

La suite

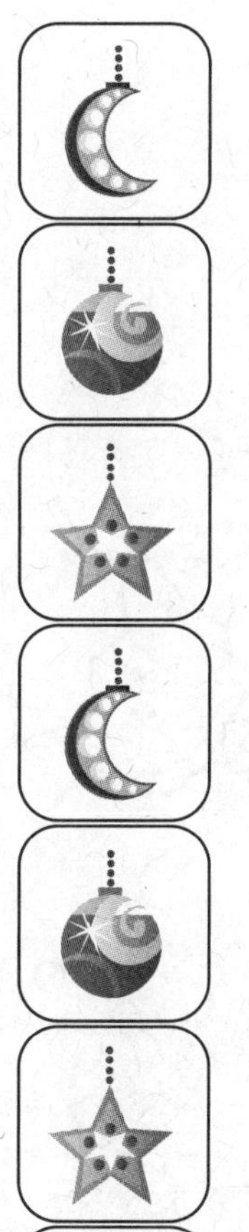

Dessin à colorier

Bingo

N 37	O 63	O 64	B 13	O 62	N 41	I 27	B 9
G 53	B 15	G 57	I 20	G 49	B 3	I 16	G 54
B 10	O 74	B 11	I 22	I 23	O 65	N 36	B 4
B 6	N 40	G 59	O 69	G 67	B 2	O 73	O 71
O 72	B 1	O 68	B 5	N 44	O 75	G 50	B 7

B	I	N	G	O
13	21	38	57	74
8	22	37	58	65
6	27	Gratuit	50	68
4	28	44	48	67
5	16	45	49	66

Parfaite orthographe

○ **CHEMINÉE**

○ **SHEMINÉ**

○ **CHEMINÉ**

Le double

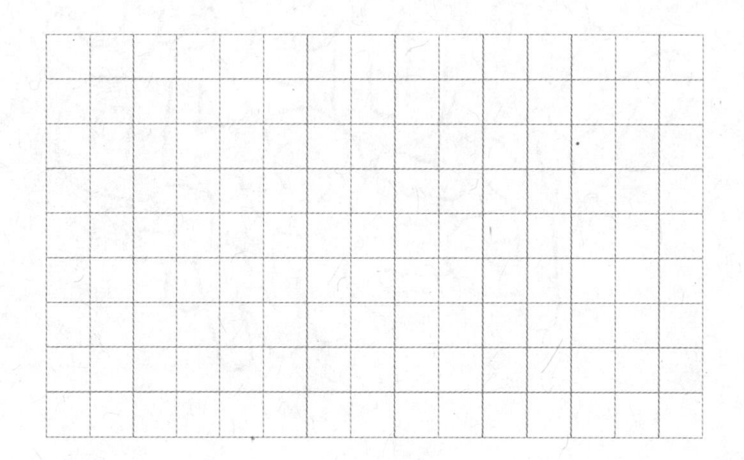

Méli-mélo

RUBAN

Symétrie

Bourrasques de mots

guroe	_ o _ _ _
abuge	_ _ g _ _
nestfi	_ _ _ _ i _
hpluece	_ _ _ u _ _ _
ebhûc	_ _ _ _ e

Le serrurier

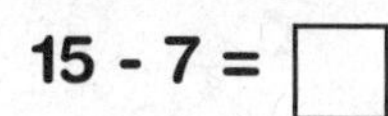

13 + 5 =

11 + 6 =

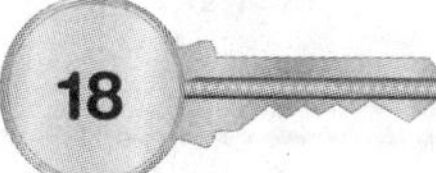

Le traducteur

CHRISTMAS NIGHT

Stars	Fireplace	House
List	Tree	Shooting star

1 

T _ _ _

2 

_ _ r _ _ l _ c _

3 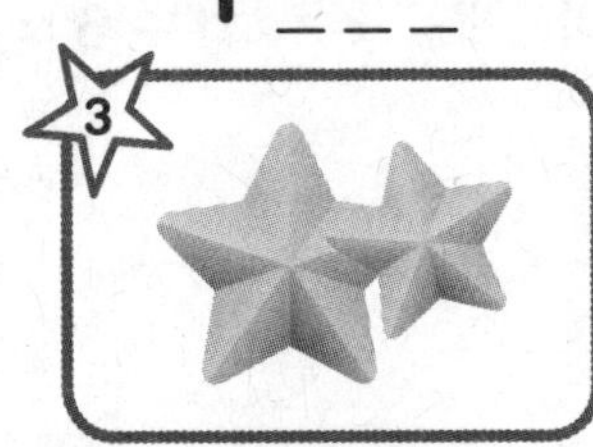

_ _ a _ s

4 

_ _ u _ e

5 

_ i _ t

6 

S _ _ _ t _ _ _ s _ a _

Le jumeau

1.

2.

3.

4.

Tornades de lettres

Mots entrecroisés

3	4	5
Don	Nuit	Colis
Roi	Père	Poire
Sac	Veau	Rêves

7
Dessert

Mot dans l'ombre

1							
2							
3							
4							
5							

Indice : Il aide le père Noël.

1. **Elle illumine la nuit.**
2. **Combinaison de deux choses.**
3. **On y sert le repas.**
4. **Bloc de glace flottant.**
5. **Au centre de la pêche.**

Mots cachés

H	B	O	T	T	E	S	M	R
G	A	M	O	U	R	O	A	U
R	G	B	Q	G	R	A	N	D
O	E	U	I	G	A	N	T	S
S	T	H	O	T	T	E	E	B
H	E	U	R	E	U	X	A	A
L	U	N	E	T	T	E	U	R
P	A	N	T	A	L	O	N	B
T	R	A	I	N	E	A	U	E

Amour
Barbe
Bottes
Gants
Grand
Gros
Habit
Heureux
Hotte
Lunette
Manteau
Pantalon
Traîneau
Tuque

Mot de 5 lettres :

____

De point en point

Mots à découvrir

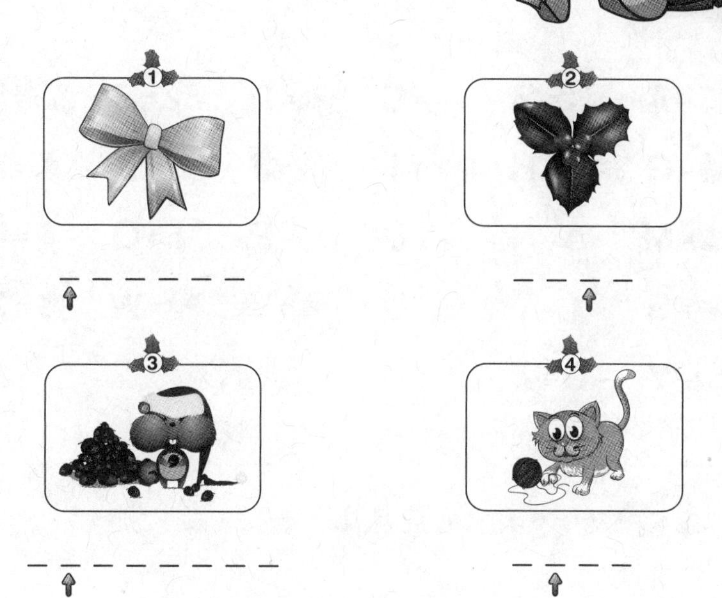

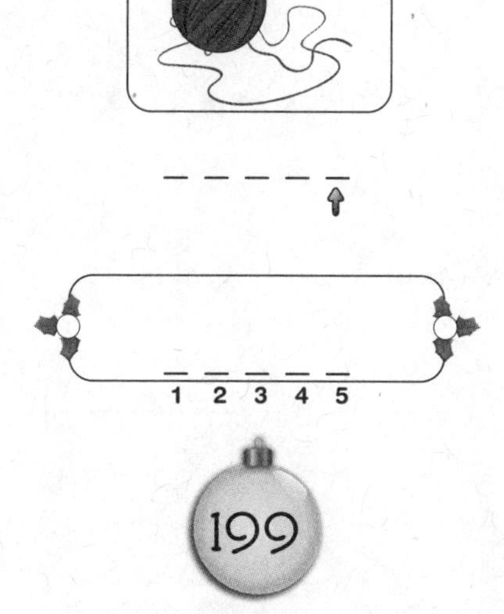

Code secret

= A = B = C = D = E = F

= G = H = I = J = K = L

= M = N = O = P = Q = R

= S = T = U = V = W = X

= Y = Z

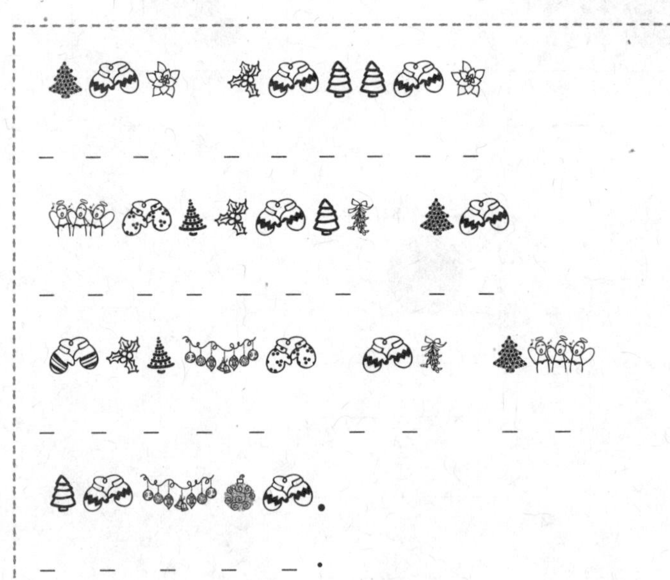

Labyrinthe

Départ

Arrivée

Sudoku

4			1	2	
	5	1			4
5	2			6	
			4	5	
	4				6
1		2			

Les ensembles

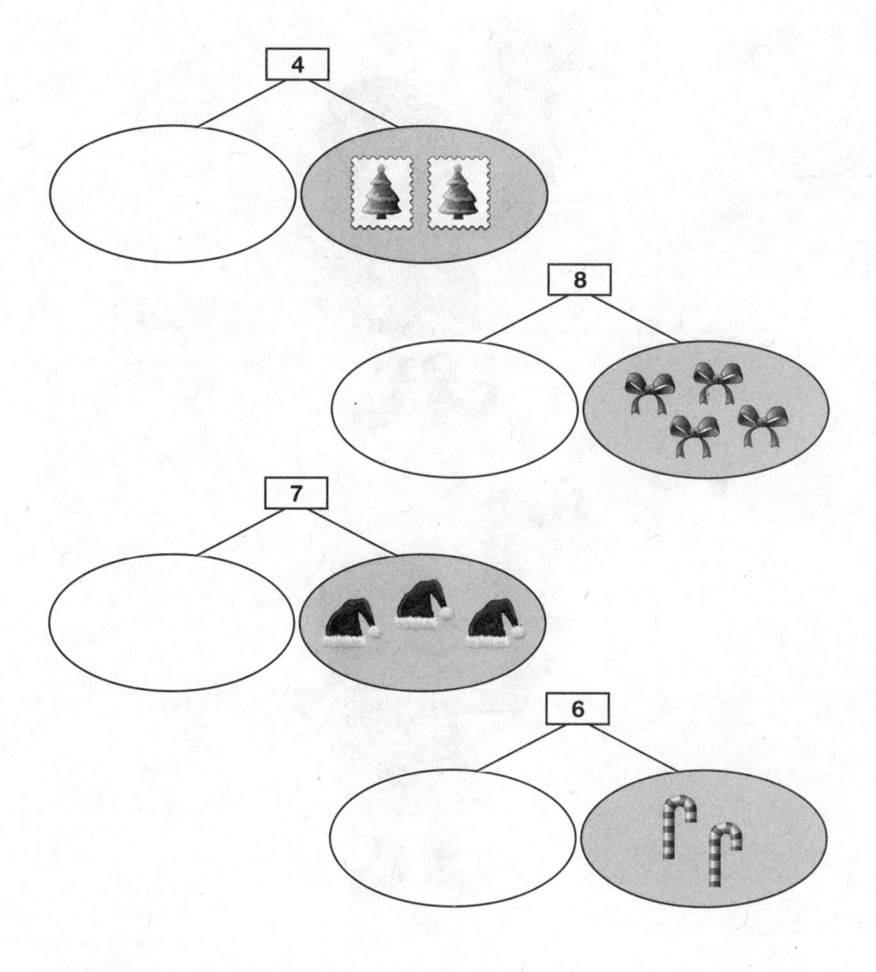

6 erreurs

L'artiste

L'heure

Sudoku dessins

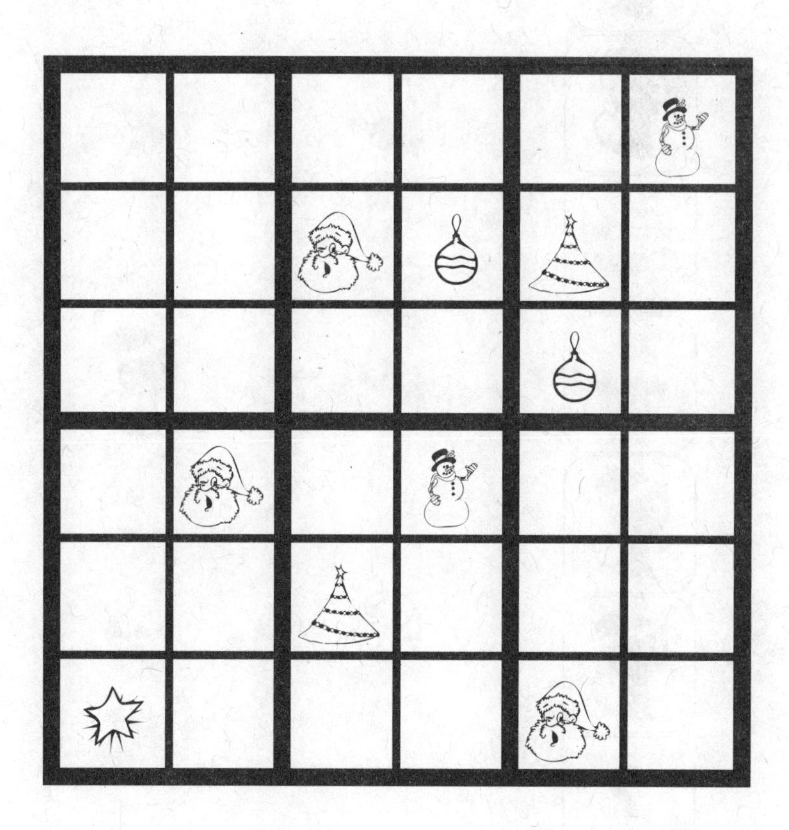

La suite

Dessin à colorier

Bingo

B 1	N 35	N 37	N 36	N 44	I 17	G 55	G 59
B 6	O 73	N 33	I 18	O 67	I 19	I 29	I 26
N 39	B 15	I 16	N 43	I 28	O 64	G 57	N 45
B 7	N 38	N 42	O 63	B 14	G 60	G 51	B 5
O 66	N 40	G 58	I 27	G 48	I 22	B 13	O 61

B	I	N	G	O
8	29	43	50	66
14	16	41	55	65
2	17	Gratuit	58	72
7	30	36	56	73
6	27	37	51	63

Parfaite orthographe

◯ **RÈNE**

◯ **REINE**

◯ **RENNE**

Le double

JOUETS

Symétrie

Bourrasques de mots

e s t s e d r   _ _ _ s _ _ _

a e b r b   b _ _ _ _

e t n a f n s   _ _ _ _ _ t _

n c i â l s   _ _ _ _ _ s

b i h a t   _ a _ _ _

Le serrurier

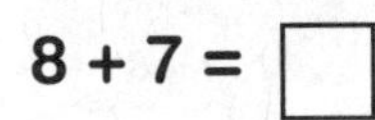

8 + 7 = ☐ 6 - 5 = ☐ 9 + 9 = ☐

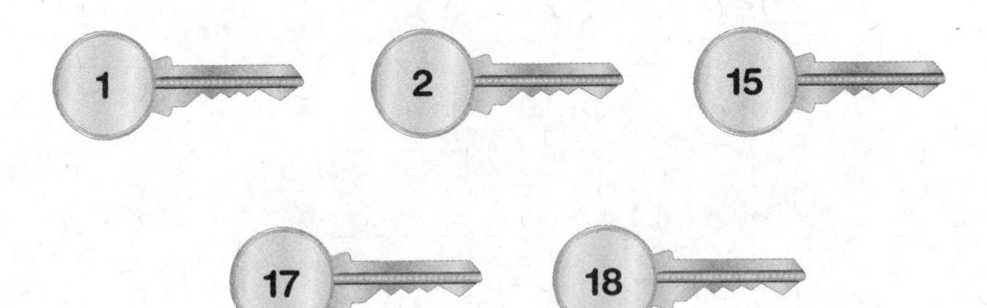

Le traducteur

SNOWMAN

Snow	Carrot	Scarf
Stone	Hat	Broom

Le jumeau

1.

2.

3.

4.

Tornades de lettres

Mots entrecroisés

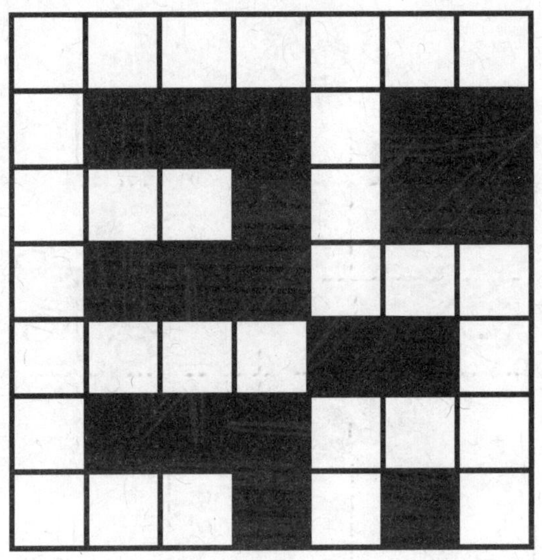

2
Or

3
Ami
Oie
Roi
Sac

4
Ciel
Mets
Sage

7
Plaisir
Pyjamas

Mot dans l'ombre

1							
2							
3							
4							
5							

Indice : L'un d'eux a le nez rouge.

1 **Drôle.**
2 **Le dos de quelque chose.**
3 **Petit trou au centre du ventre.**
4 **Bateau.**
5 **Elle sert à écrire sur du papier.**

Mots cachés

C	R	C	H	L	I	S	T	E
A	E	E	M	M	O	N	D	E
D	N	U	I	T	O	R	T	E
E	N	N	I	S	I	T	L	S
A	E	U	I	O	O	O	T	A
U	S	A	S	H	P	N	O	P
X	M	G	L	A	I	T	I	I
G	R	E	L	O	T	S	T	N
E	E	E	T	O	I	L	E	S

Cadeaux
Étoiles
Grelots
Hotte
Lait
Liste
Maison
Monde
Nuage
Nuit
Pôle
Rennes
Sapin
Soir
Toit

Mot de 8 lettres :

____

De point en point

Mots à découvrir

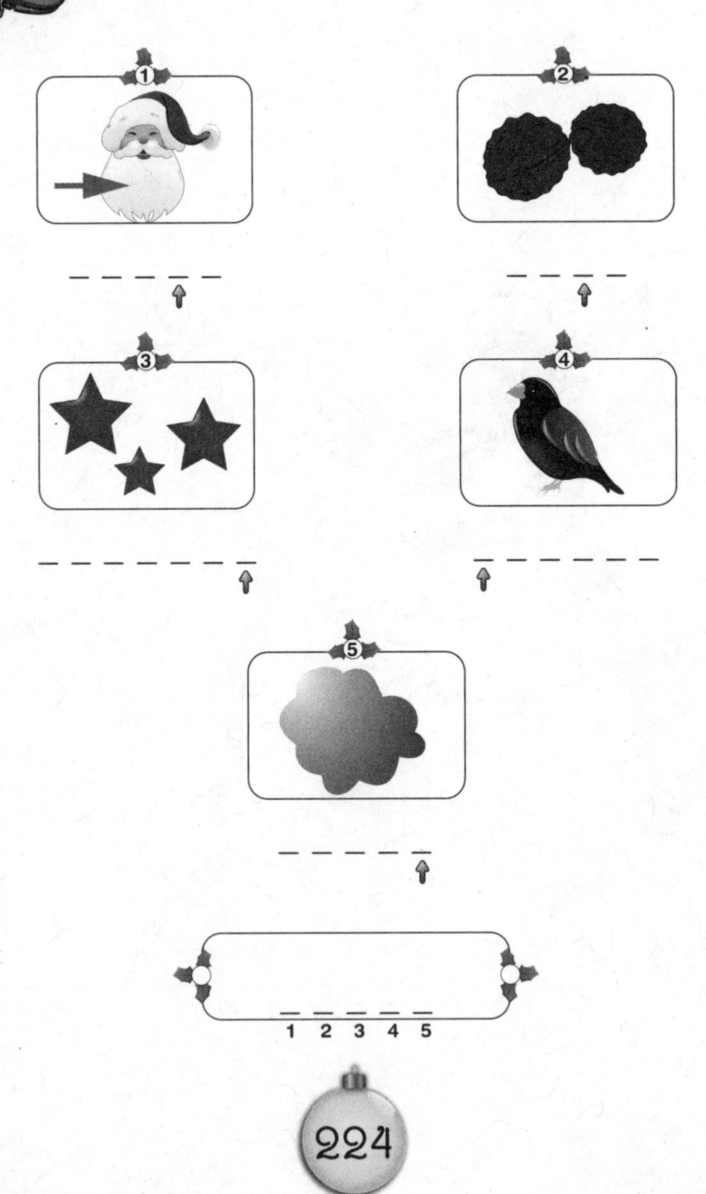

Code secret

= A   = B   = C   = D   = E   = F

= G   = H   = I   = J   = K   = L

= M   = N   = O   = P   = Q   = R

= S   = T   = U   = V   = W   = X

= Y   = Z

_ _   _ _ _ _ _ _   _ _

_ _   _ _ _ _   _ _ _ _ _   _ _ _

_ _ _ _ _ _ _ _ _   _ _   _ _ _ _.

Labyrinthe

Départ

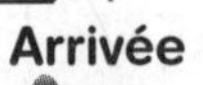

Sudoku

	4			3	
		6			
2				1	
		5	3		
6					
				2	5

Les ensembles

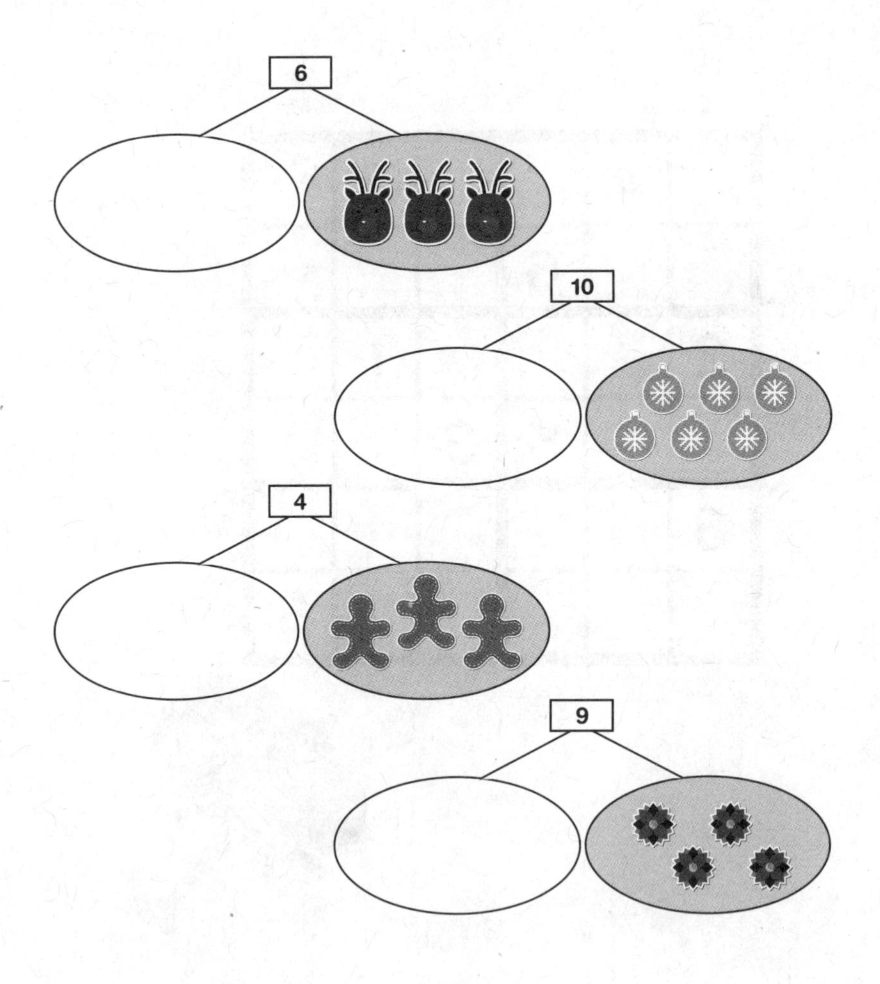

6 erreurs

L'artiste

L'heure

Sudoku dessins

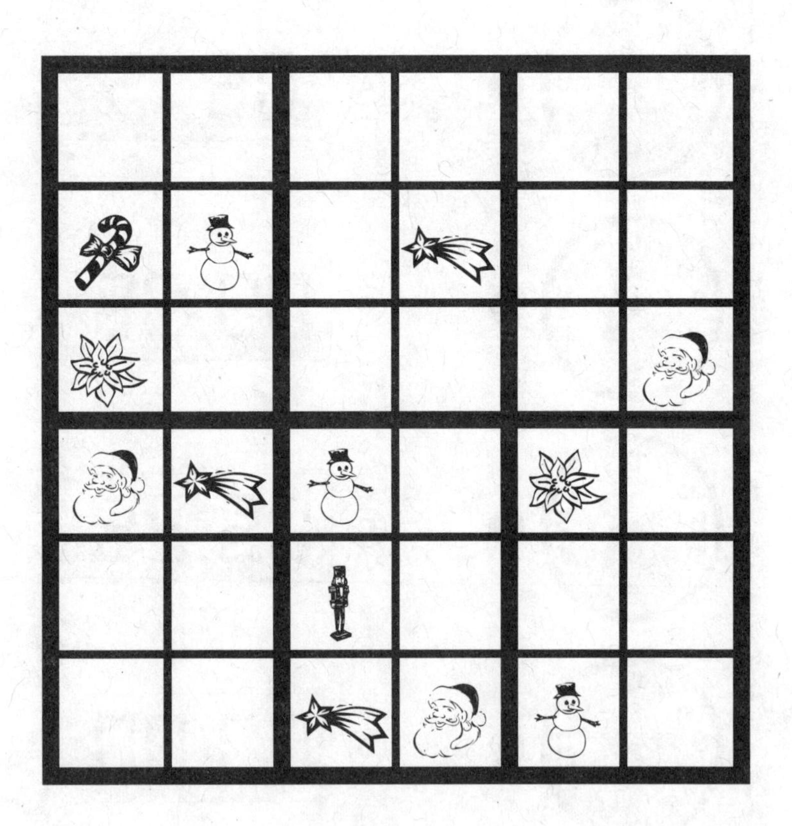

La suite

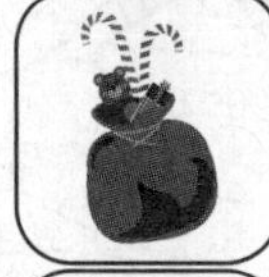

Dessin à colorier

Bingo

B 15	O 64	N 39	O 73	O 65	B 10	N 40	I 21
N 36	I 29	O 63	G 56	O 71	O 61	G 55	G 58
N 35	I 25	O 70	B 13	N 45	O 62	G 46	B 14
I 16	N 33	B 8	N 32	G 53	O 69	G 59	B 2
O 68	B 5	N 34	I 19	O 67	I 28	I 22	G 49

B	I	N	G	O
10	18	32	59	66
2	25	33	57	71
9	24	Gratuit	58	64
8	22	34	60	62
15	23	36	50	63

Parfaite orthographe

- ◯ **TRAÎNEAU**
- ◯ **TRÈNEAU**
- ◯ **TRAÎNAU**

Le double

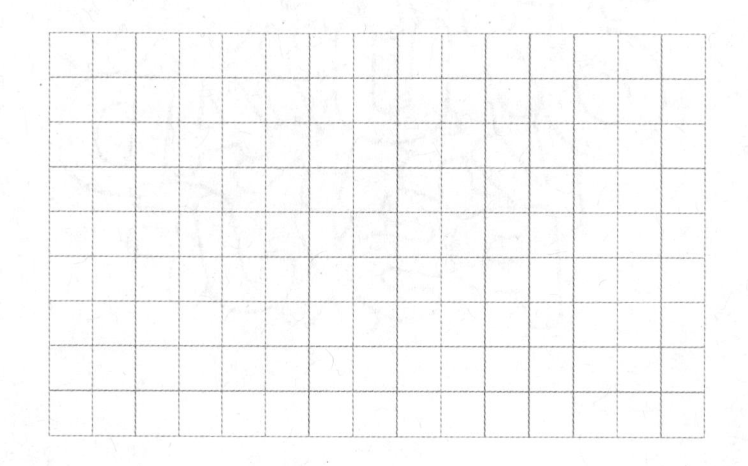

TRAIN

Symétrie

Bourrasques de mots

t b l e a	_ a _ _ _
s c a	_ a _
i l e l v a g	_ _ _ _ _ g _
o i t l é e	_ _ _ _ _ e
t e v r	v _ _ _

Le serrurier

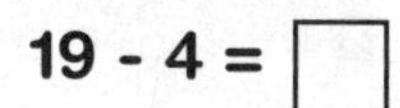

19 - 4 = ☐ 14 - 5 = ☐ 8 + 8 = ☐

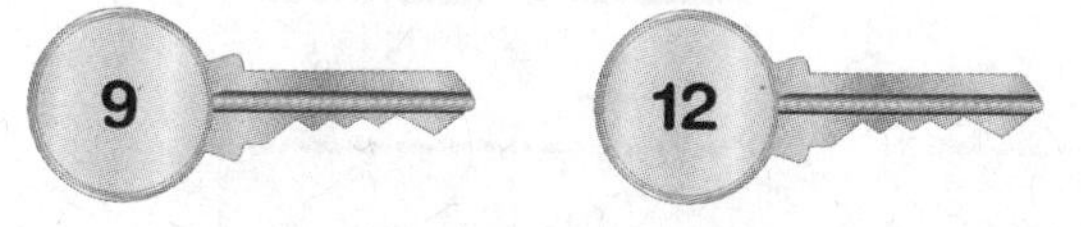

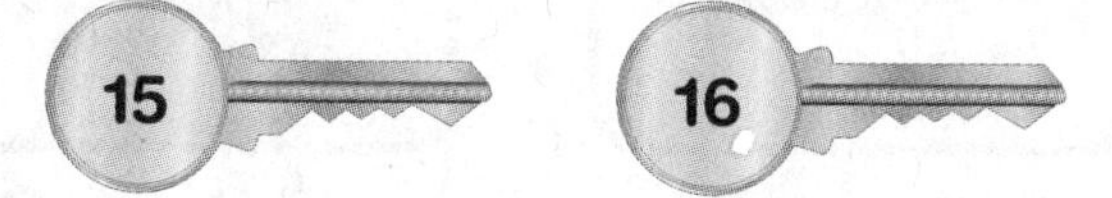

Le traducteur

CHRISTMAS DINNER

Turkey	Salad	Potatoes
Soup	Pie	Appetizers

Le jumeau

1.

2.

3.

4.

Tornades de lettres

Mots entrecroisés

3
Feu
Oie
Roi
Sac

4
Chou
Soir

5
Colis
Merci

6
Festif

7
Truffes

Mot dans l'ombre

1					
2					
3					
4					
5					

Indice : Elle recouvre le pôle Nord.

1 Les écureuils les aiment beaucoup.
2 La nuit, les rennes prennent leur...
3 Parfait en tout point.
4 Ils sonnent à l'approche du traîneau.
5 Là où sont les planètes.

Mots cachés

C	S	O	R	A	N	G	E	T
H	B	U	R	E	P	A	S	A
O	I	R	C	R	E	G	A	L
C	S	F	A	R	C	E	T	B
O	C	G	A	T	E	A	U	U
L	U	C	A	N	A	R	D	C
A	I	D	I	N	E	R	I	H
T	T	E	N	T	R	E	E	E
A	S	S	I	E	T	T	E	E

Assiette
Biscuits
Bûche
Canard
Chocolat
Dîner
Entrée
Farce
Gâteau
Orange
Régal
Repas
Sucrerie

Mot de 5 lettres :

____

De point en point

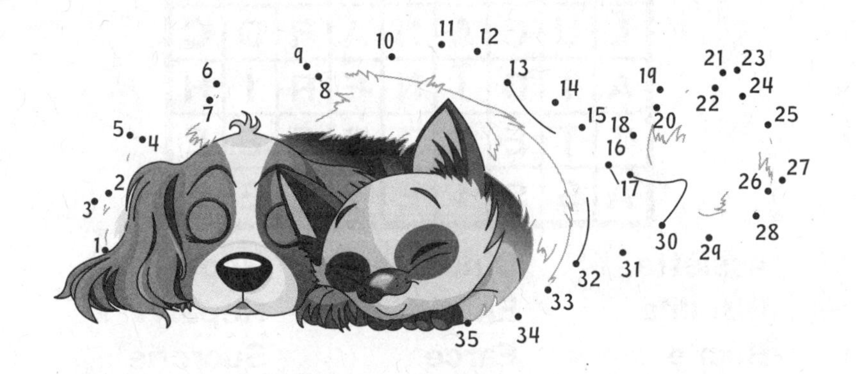

Mots à découvrir

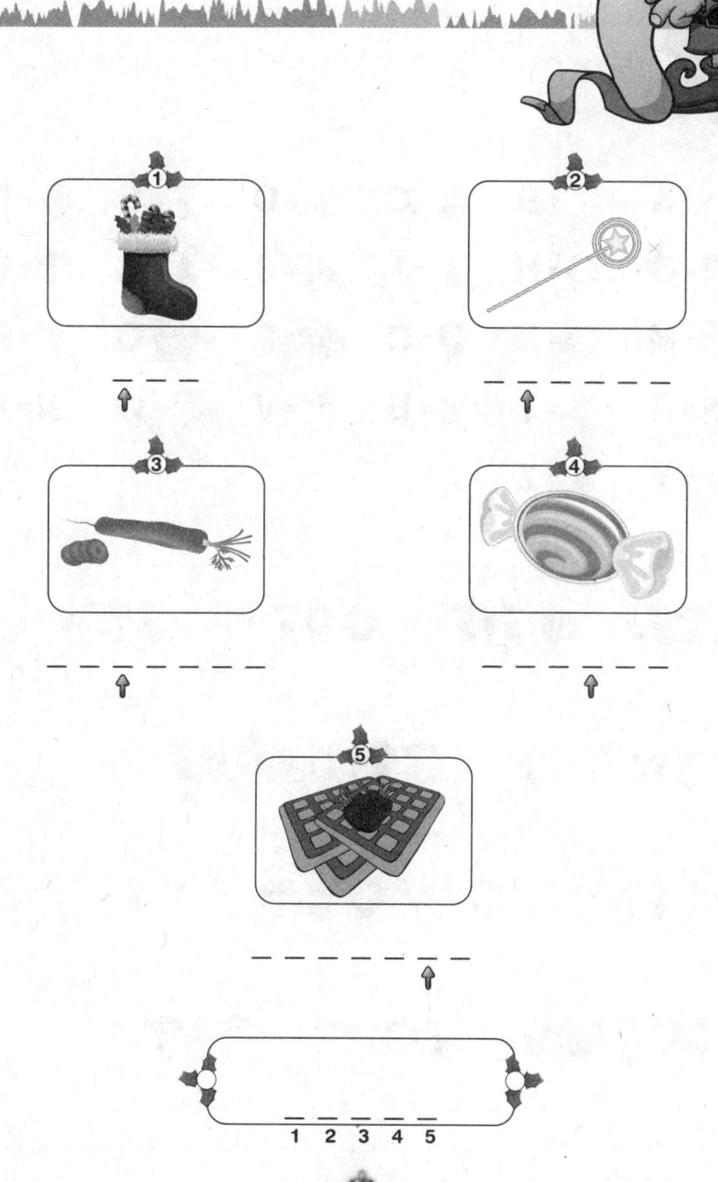

Code secret

=A =B =C =D =E =F

=G =H =I =J =K =L

=M =N =O =P Q =R

=S =T =U =V =W =X

=Y =Z

_ _   _ _ _ _   _ _ _ _   _ _ _

_ _ _ _ _ _   _ _ _ _ _ _ _ _

_ _ _   _ _ _ _ _ _ _   _ _

_ _ _ _ _ _ _ _ _ _   _ _ _.

Labyrinthe

Départ

Arrivée

Sudoku

	4	6	1		
	5	3			
5					
			4	2	
					6
	6	2		1	4

Les ensembles

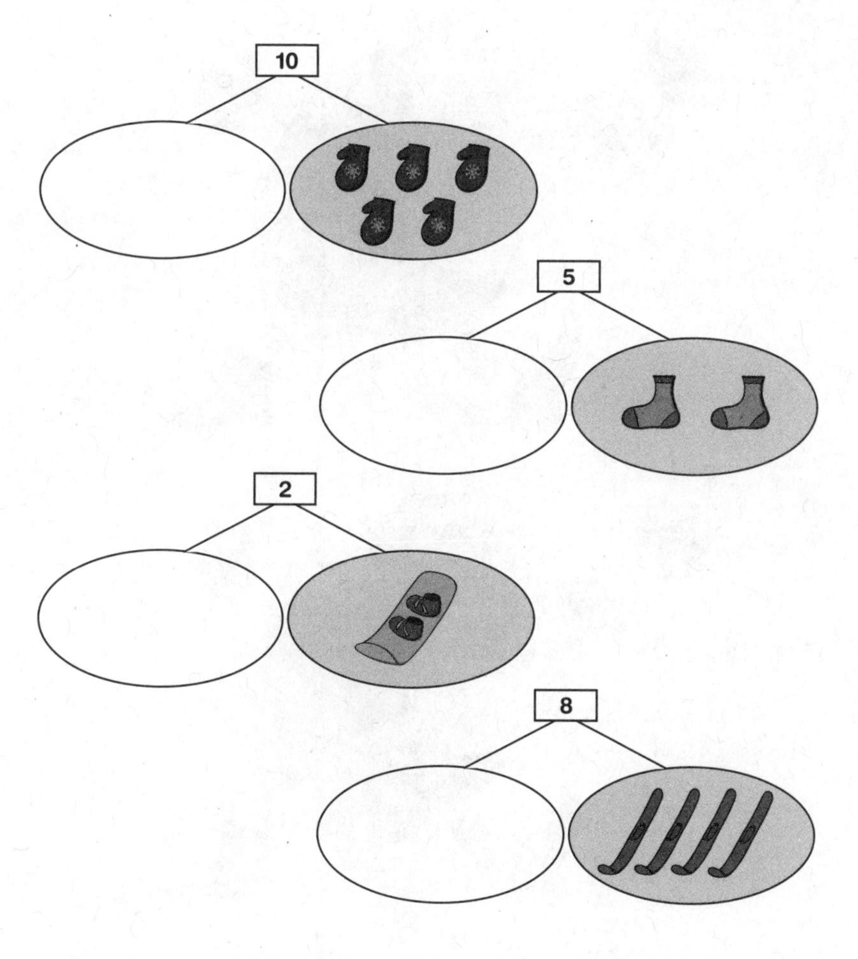

6 erreurs

L'artiste

L'heure

Sudoku dessins

La suite

Dessin à colorier

Bingo

N 39	I 26	O 62	I 23	N 41	B 4	B 6	G 48
G 57	O 74	G 60	G 58	N 44	O 75	O 63	N 37
G 59	O 73	G 55	N 45	O 65	I 19	O 66	G 46
N 33	I 21	N 35	B 9	B 14	N 42	O 71	G 56
I 17	I 27	O 64	I 28	O 72	O 69	I 29	G 52

B	I	N	G	O
11	25	41	57	73
7	26	35	51	64
13	19	Gratuit	54	61
14	29	44	58	66
1	30	36	52	65

Parfaite orthographe

◯ **COURONNE**

◯ **COURRONE**

◯ **COURONE**

Le double

FOYER

Symétrie

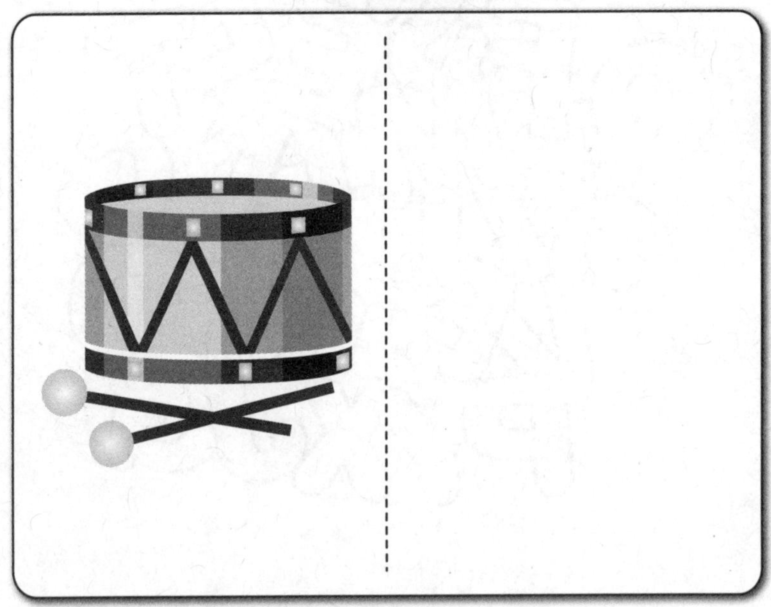

Bourrasques de mots

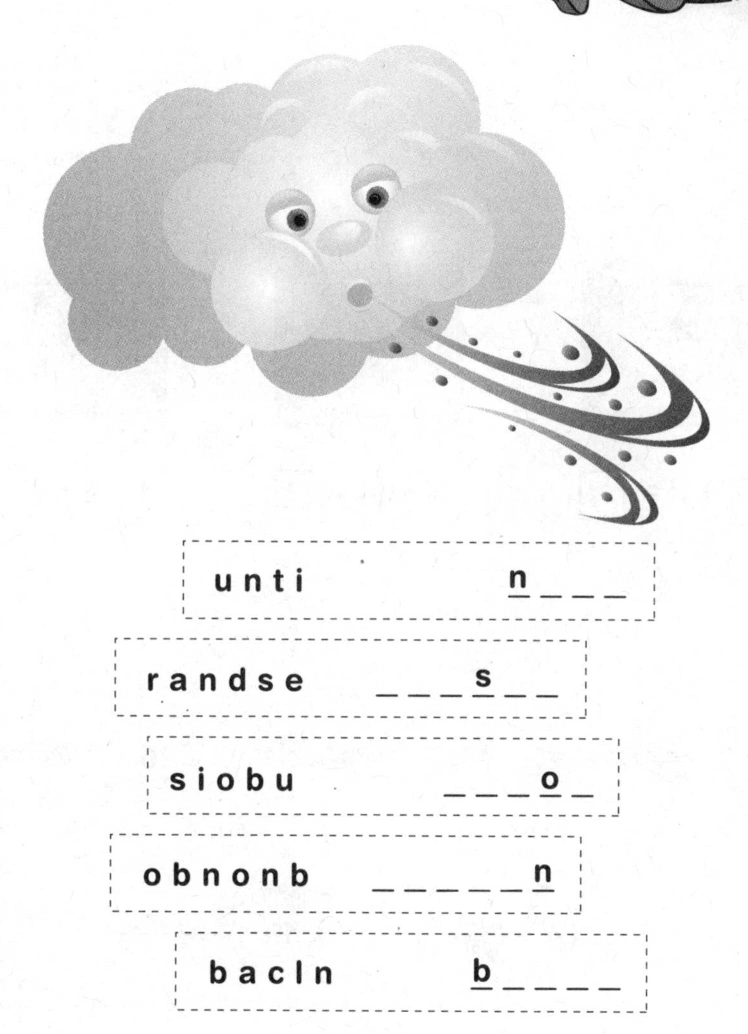

unti n _ _ _

randse _ _ _ s _ _

siobu _ _ _ o _

obnonb _ _ _ _ _ n

bacln b _ _ _ _

Le serrurier

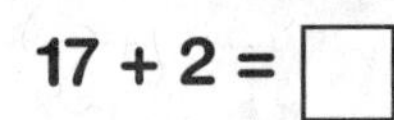

17 + 2 = ☐ 3 + 14 = ☐ 4 - 2 = ☐

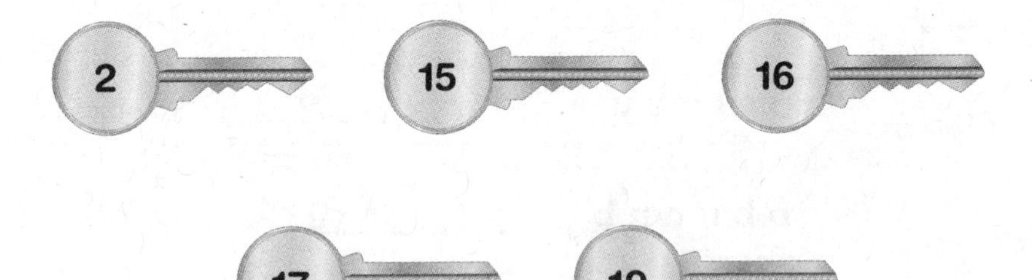

Le traducteur

FAMILY

Mother	**Father**	**Brother**
Sister	**Grandfather**	**Grandmother**

F _ _ h _ _　**G _ _ n _ _ at _ _ _**

_ _ t _ _ r　**_ _ st _ _**

_ r _ _ h _ r　**_ ra _ _ m _ t _ _ _**

Le jumeau

1.

2.

3.

4.

Tornades de lettres

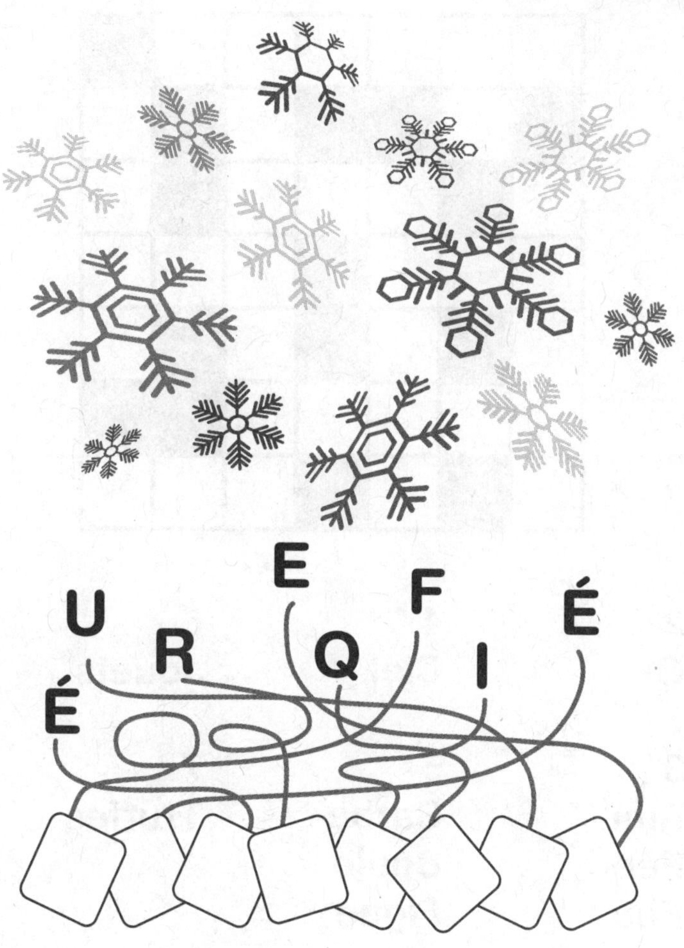

Mots entrecroisés

2	4	6
Or	Ciel	Jouets

3	5	7
Ami	Barbe	Truffes
Fée	Boule	
Feu	Figue	
Sac		

Mot dans l'ombre

1

2

3

4

5

Indice : Le père Noël la porte.

1 Un verre de lait et un bon...
2 Il tire des flèches.
3 Un repas délicieux.
4 Sucrerie.
5 Complet.

Mots cachés

V	E	T	E	M	E	N	T	S
B	C	C	R	A	Y	O	N	X
A	H	B	L	C	P	B	U	I
L	A	A	V	A	Y	O	R	C
L	T	G	E	M	J	N	J	H
O	O	U	S	I	A	B	O	E
N	N	E	B	O	M	O	U	V
P	A	T	I	N	A	N	E	A
F	L	E	U	R	S	S	T	L

Bague
Ballon
Bijoux
Bonbons
Camion
Chaton
Cheval
Crayon
Fleurs
Jouet
Patin
Pyjamas
Vêtements

Mot de 6 lettres :

____

De point en point

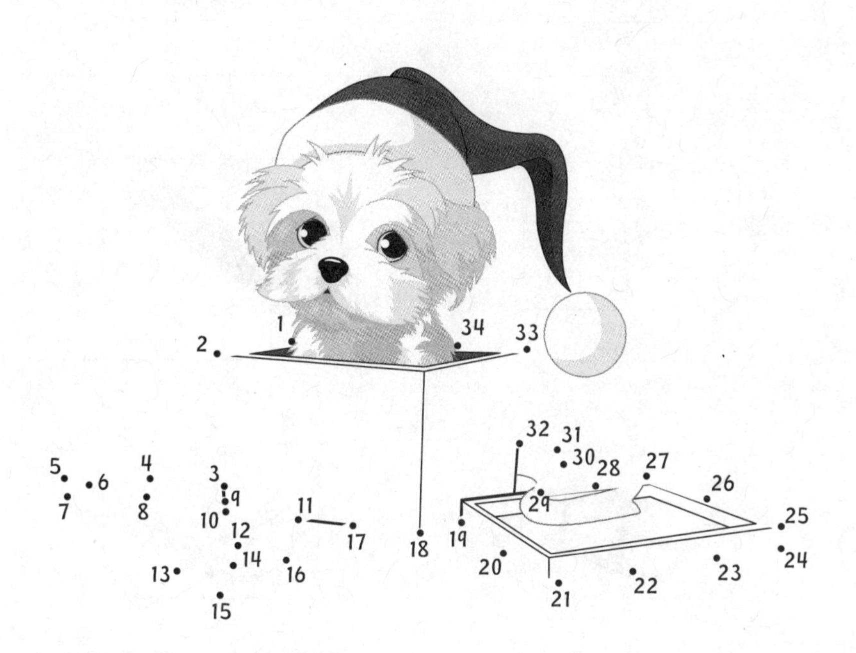

Mots à découvrir

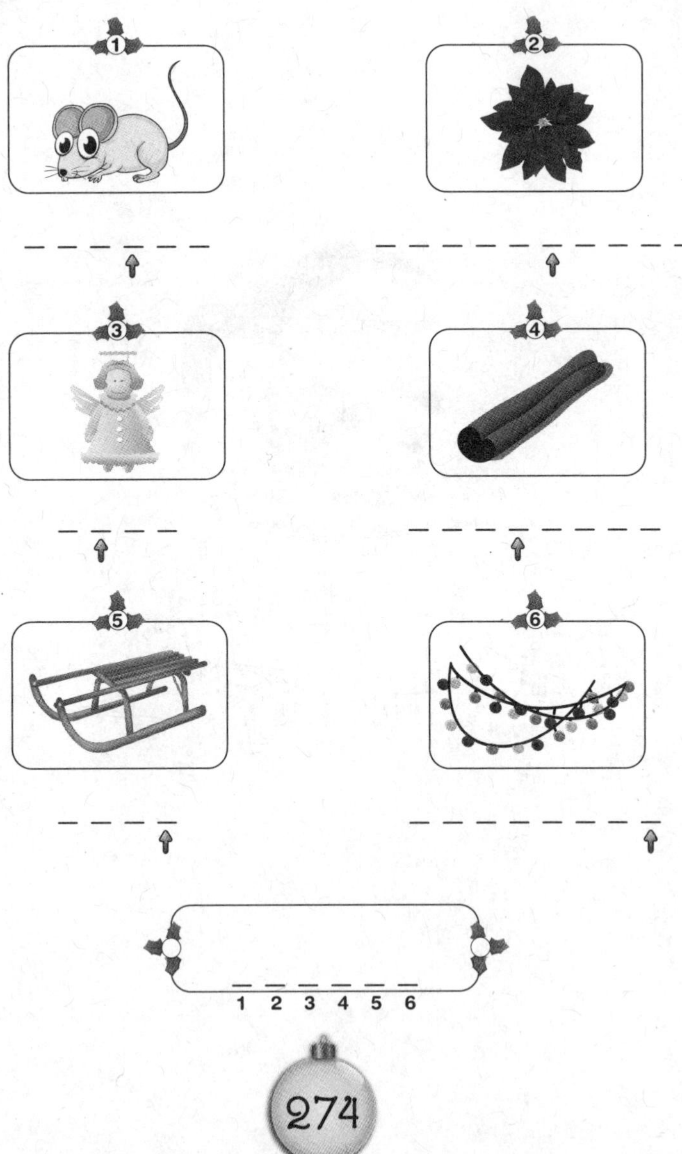

Code secret

= A = B = C = D = E = F

= G = H = I = J = K = L

= M = N = O = P = Q = R

= S = T = U = V = W = X

= Y = Z

_ _ _ _ _ _ _ _ _ _ _ _ _ _

_ _ _ _ _ _ _ _ _ _ _ _ _ _

_ _ _ _ _ _ _ _ _ _ _ _ _ _ _ _.

Labyrinthe

Départ

Arrivée

Sudoku

2					
				6	5
3					
		4	5		2
			6		
	1		4		

Les ensembles

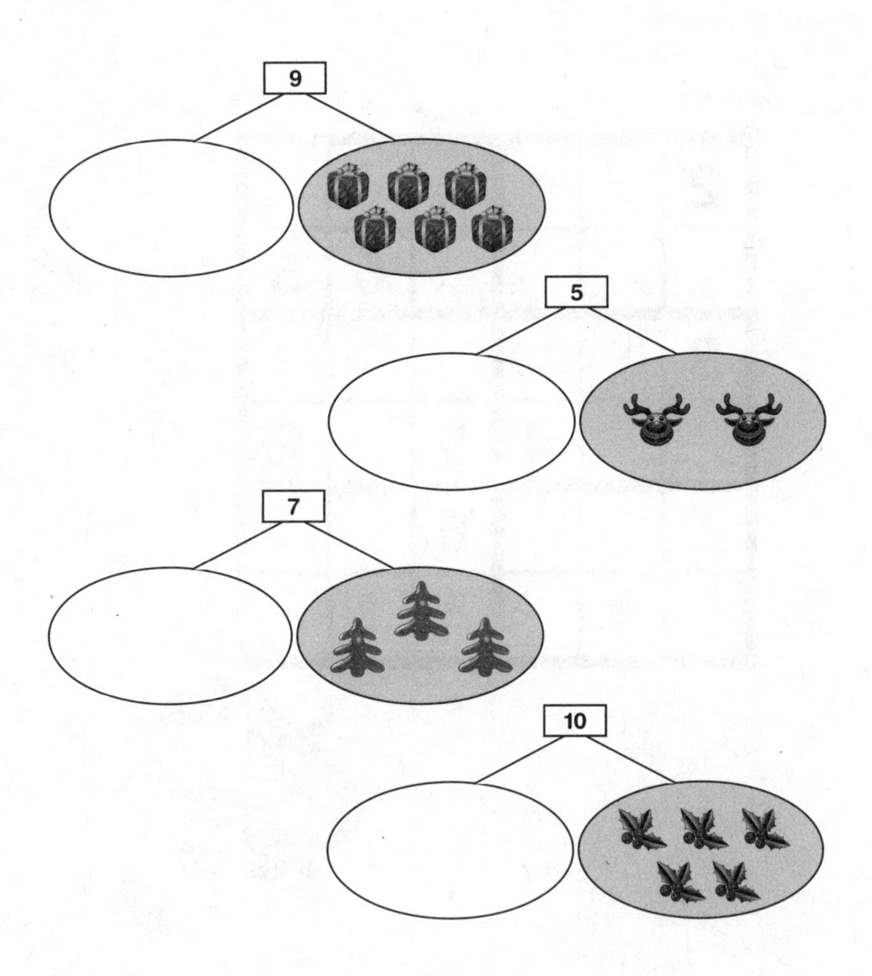

6 erreurs

L'artiste

L'heure

Sudoku dessins

La suite

Dessin à colorier

Bingo

I 19 · N 43 · I 17 · B 15 · B 2 · O 66 · O 72 · I 20

G 48 · I 29 · I 21 · N 41 · B 3 · I 27 · B 5 · O 73

I 24 · N 42 · I 22 · B 8 · B 9 · I 25 · O 64 · I 23

N 44 · G 50 · B 7 · G 55 · O 61 · O 69 · G 58 · O 74

B 1 · O 62 · B 10 · B 6 · B 13 · N 36 · N 40 · N 31

B	I	N	G	O
8	23	36	51	73
10	26	35	50	70
1	29	Gratuit	58	63
7	21	33	54	66
2	17	43	52	75

Parfaite orthographe

- ◯ **RUBBAN**
- ◯ **RUBAN**
- ◯ **RUBENT**

Le double

BISCUITS

Symétrie

Bourrasques de mots

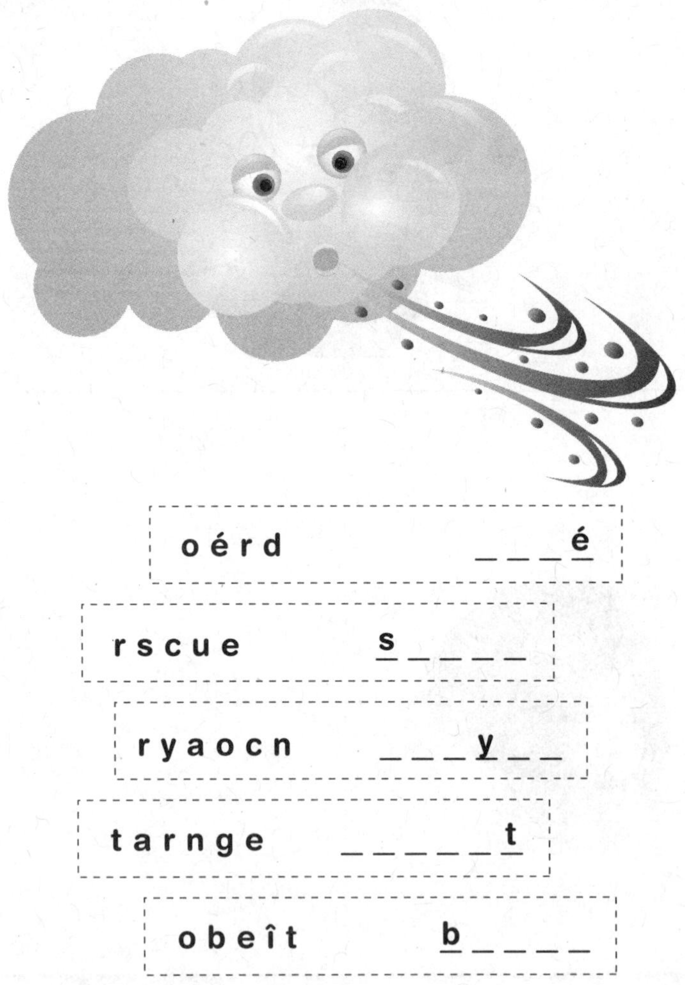

o é r d	_ _ _ é
r s c u e	s _ _ _ _
r y a o c n	_ _ _ y _ _
t a r n g e	_ _ _ _ _ t
o b e î t	b _ _ _ _

Le serrurier

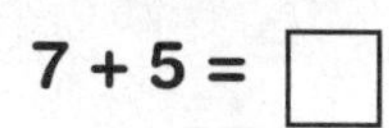

7 + 5 = ☐ 12 + 3 = ☐ 7 - 2 = ☐

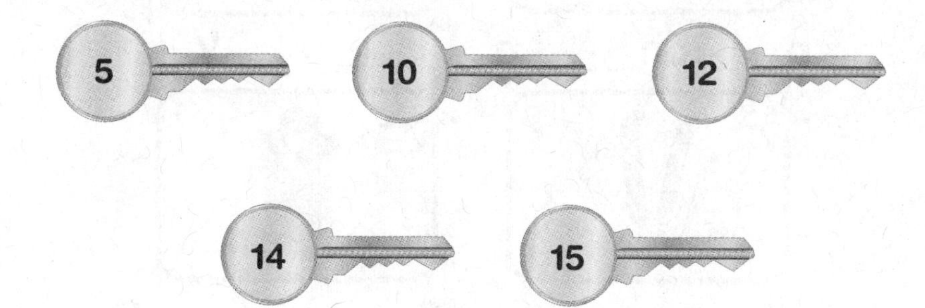

Le traducteur

WINTER ACTIVITIES

Sledge	Snowshoeing	Skiing
Hockey	Ice fishing	Snowmobile

1

2

S_o__o__i_ **S__d_e**

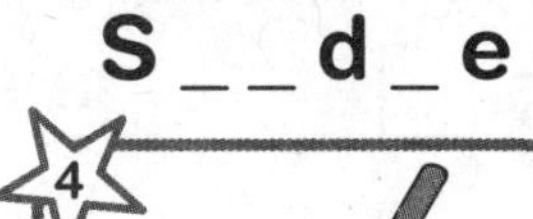

3

4

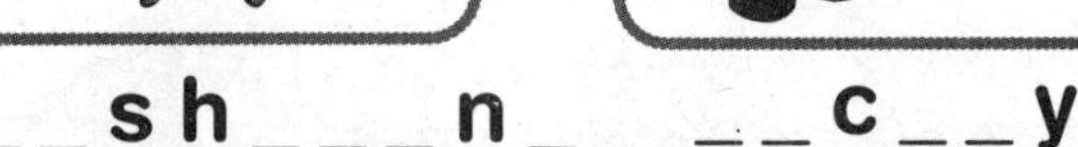

_n__sh___n_ **__c__y**

5

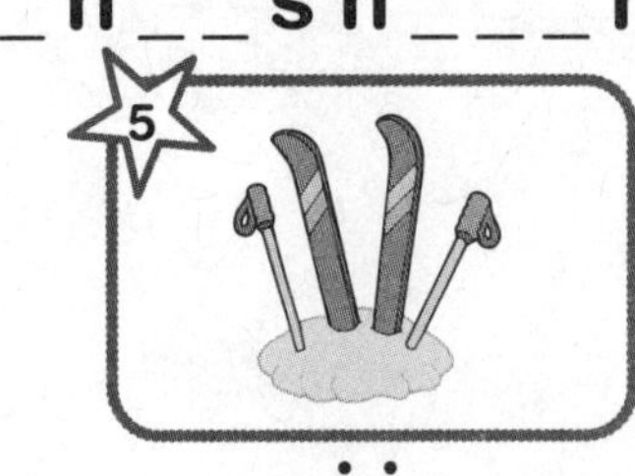

6

__ii__ **_c_ __sh__g**

Le jumeau

1.

2.

3.

4.

Tornades de lettres

Mots entrecroisés

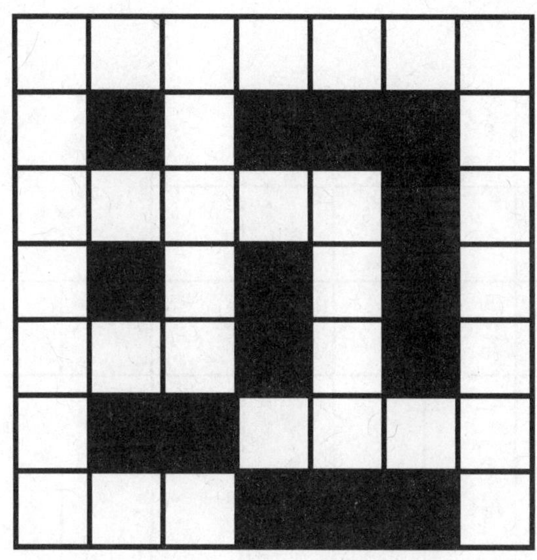

3
Roi
Sac

4
Elfe
Vert

5
Merci
Tarte

7
Enfants
Lettres
Lumière

Mot dans l'ombre

1							
2							
3							
4							
5							

Indice : Une couleur festive.

1. Automate.
2. Le frère de ton parent.
3. Le monde entier.
4. Il y neige lorsqu'on le secoue.
5. Pause entre deux vols en avion.

Mots cachés

C	C	C	P	A	P	I	E	R
H	H	L	E	T	A	B	L	I
A	A	O	O	S	A	P	I	N
I	R	C	R	U	B	A	N	O
S	I	H	V	I	S	E	T	U
E	O	E	B	O	T	U	A	T
A	T	E	L	I	E	R	B	I
C	L	F	O	Y	E	R	L	L
F	A	B	R	I	Q	U	E	E

Atelier	Clous	Papier
Boîte	Établi	Ruban
Chaise	Fabrique	Sapin
Chariot	Foyer	Table
Cloche	Outil	Vis

Mot de 6 lettres :

____

De point en point

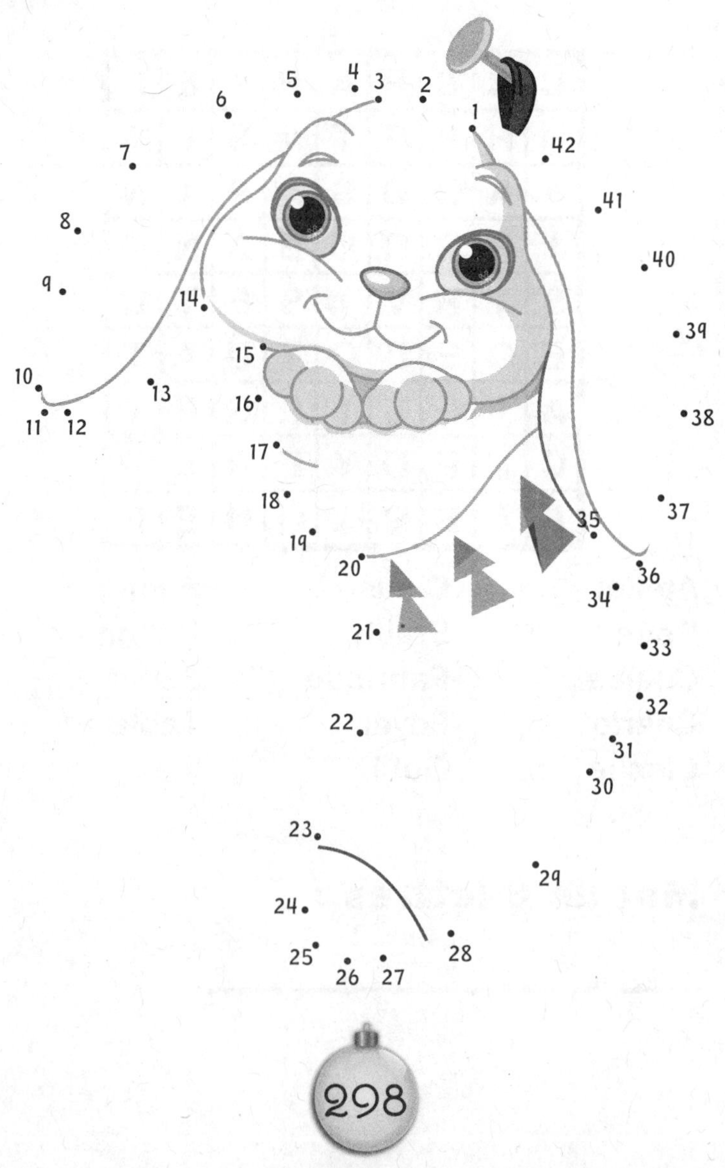

Mots à découvrir

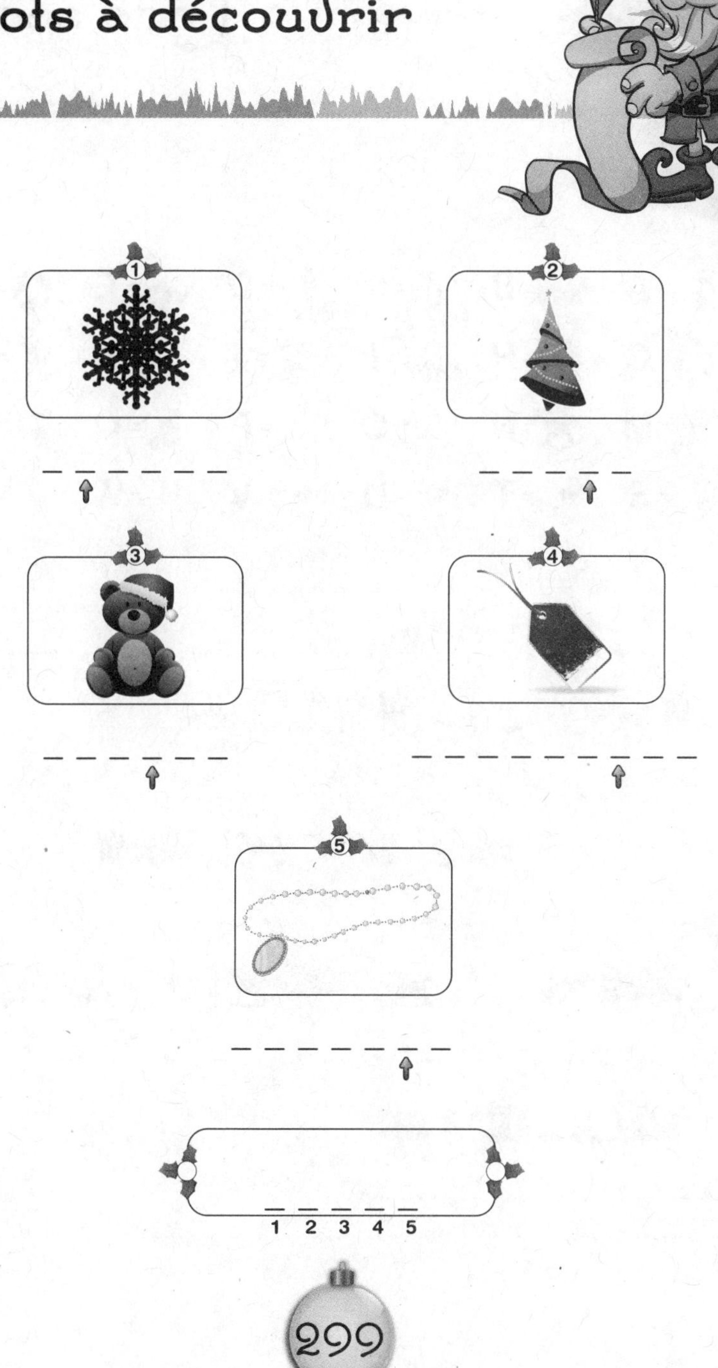

Code secret

=A =B =C =D =E =F

=G =H =I =J =K =L

=M =N =O =P =Q =R

=S =T =U =V =W =X

=Y =Z

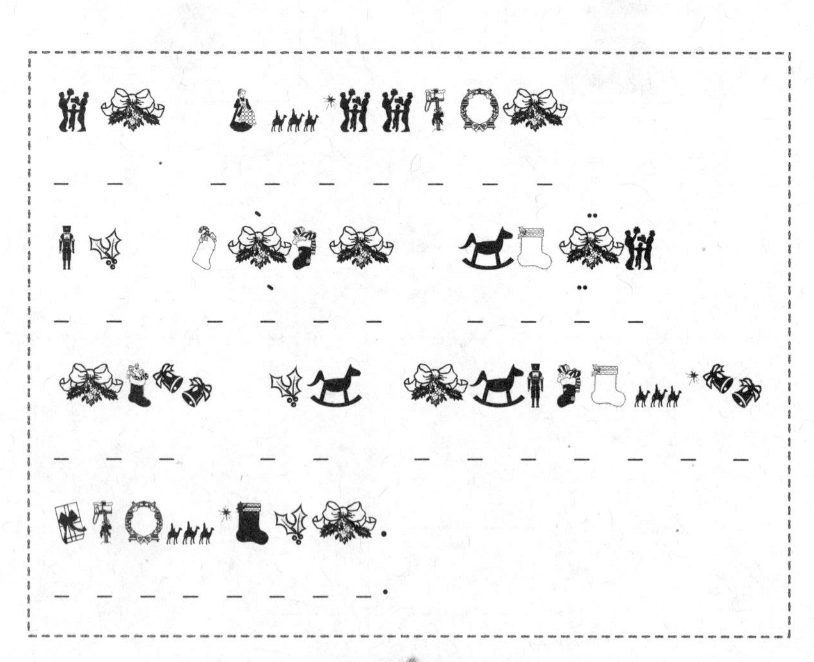

Labyrinthe

Départ

Arrivée

Sudoku

			6		
				5	
1	4				
	6				5
		3	2		1
6			5	4	

Les ensembles

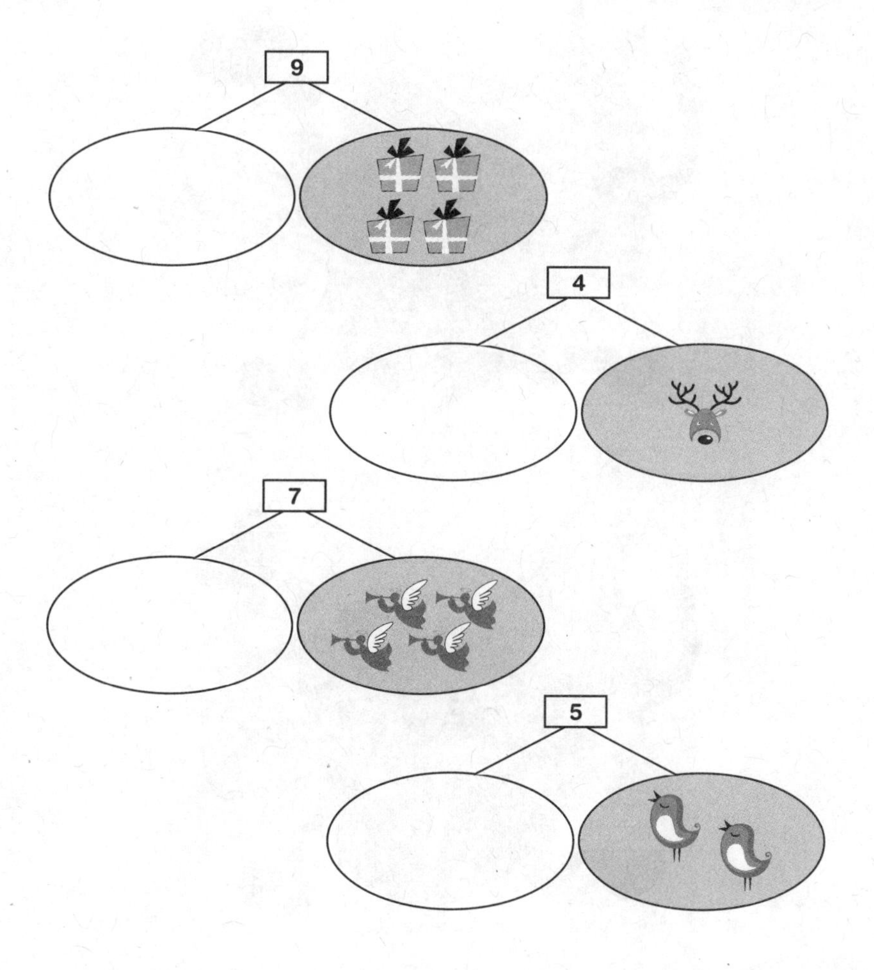

6 erreurs

L'artiste

L'heure

Sudoku dessins

La suite

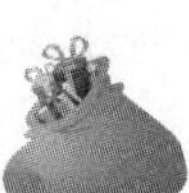

Dessin à colorier

Bingo

B 9	B 12	N 42	B 6	N 45	I 22	B 1	O 69
I 18	N 40	I 29	B 14	B 15	I 27	I 17	O 72
I 23	B 10	B 2	O 63	G 50	O 68	G 57	I 26
G 55	N 34	N 36	I 21	G 46	G 51	B 13	G 58
O 62	N 35	O 70	N 39	N 43	O 75	G 49	G 48

B	I	N	G	O
10	18	38	58	75
14	27	45	49	68
15	16	Gratuit	57	71
6	30	40	47	65
5	28	34	54	70

Parfaite orthographe

- ◯ **SAPPIN**
- ◯ **SAPIN**
- ◯ **SAPAIN**

Le double

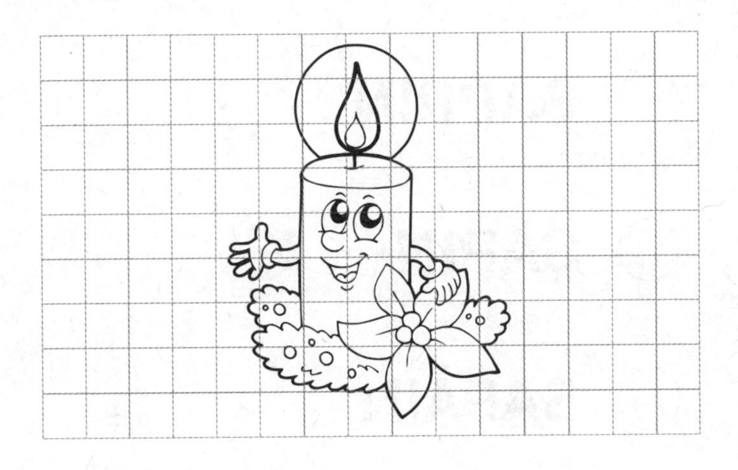

SURPRISE

Symétrie

Bourrasques de mots

eéf _ _ e

rcilole _ _ _ _ i _ _

uje j _ _

rflesu _ _ _ _ _ s

rgéla _ _ g _ _

Le serrurier

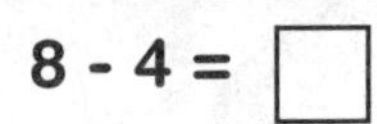

8 - 4 = ☐ 11 + 5 = ☐ 8 + 3 = ☐

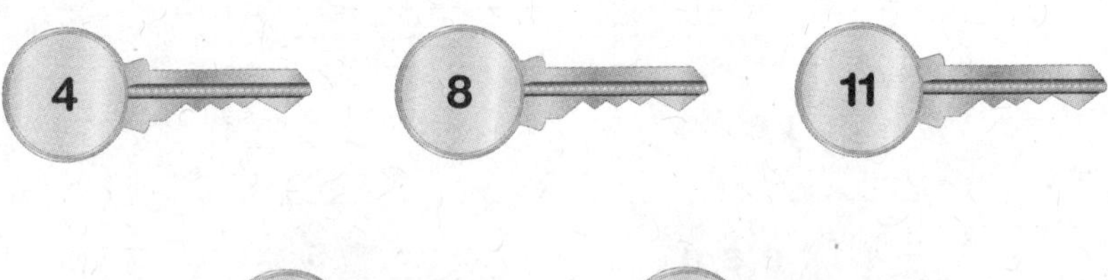

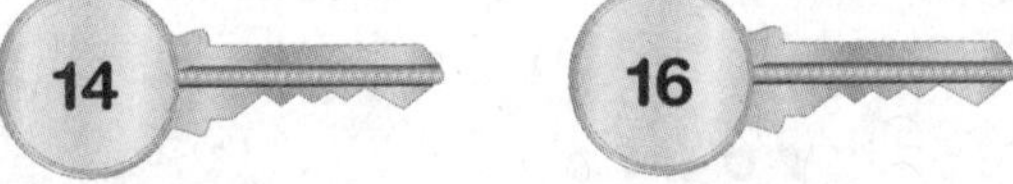

Le traducteur

NORTH POLE ANIMALS

Polar bear	Penguin	Seal
Reindeer	Owl	Snow fox

1 

_ w _

2 

_ _ l r _ e _ r

3 

_ _ o _ f _ _

4 

_ ei _ _ e _ r

5 

_ e _ _

6 

P _ _ g u _ _

Le jumeau

1.

2.

3.

4.

Tornades de lettres

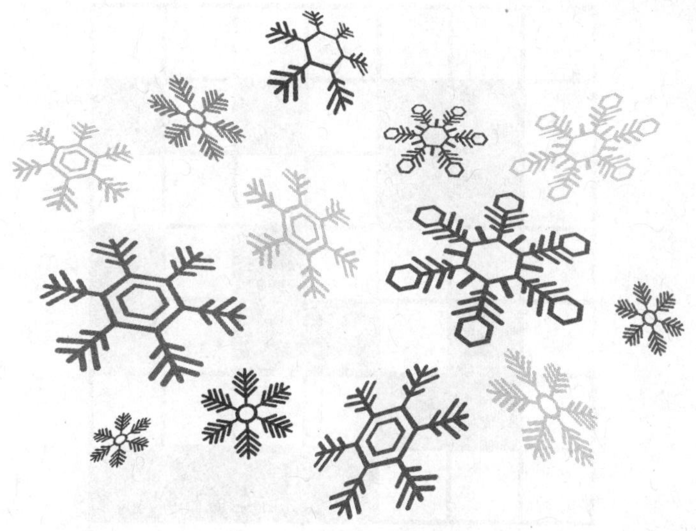

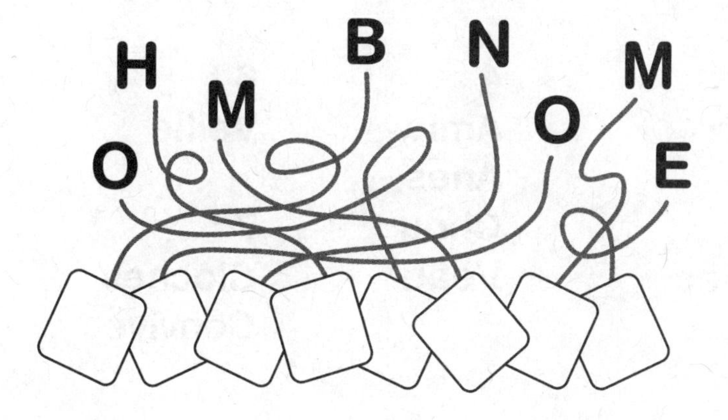

Mots entrecroisés

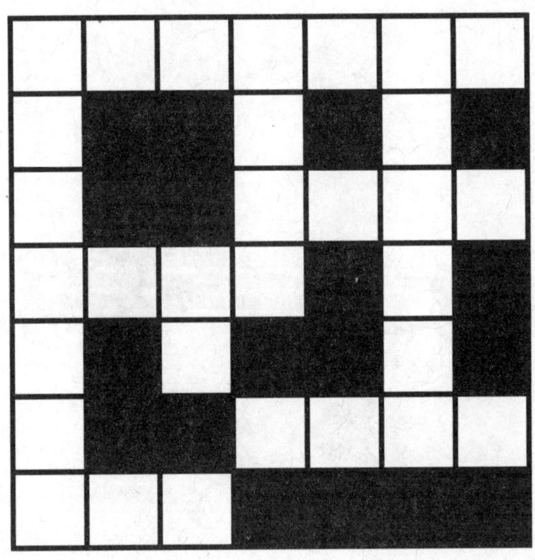

2
Or

3
Sac

4
Amie
Ânes
Chou
Veau

6
Veille

7
Cloches
Convive

Mot dans l'ombre

1						
2						
3						
4						

Indice : Le pôle...

1. **Ville où l'on est né.**
2. **Point cardinal opposé à l'est.**
3. **Faire cuire à feu vif.**
4. **Qui est décorée d'or.**

Mots cachés

V	I	L	L	A	G	E	E	E
B	O	U	G	I	E	H	L	C
R	G	M	U	I	C	U	S	A
I	R	I	L	U	O	A	E	N
L	A	E	B	B	B	N	T	N
L	A	R	G	E	N	T	O	E
A	R	E	N	N	E	S	I	L
N	D	S	A	P	I	N	L	L
T	E	B	O	U	C	L	E	E

Argent
Bas
Boucle
Bougie
Boule
Brillant
Bûche
Cannelle
Étoile
Lumières
Rennes
Sapin
Village

Mot de 9 lettres :

____

De point en point

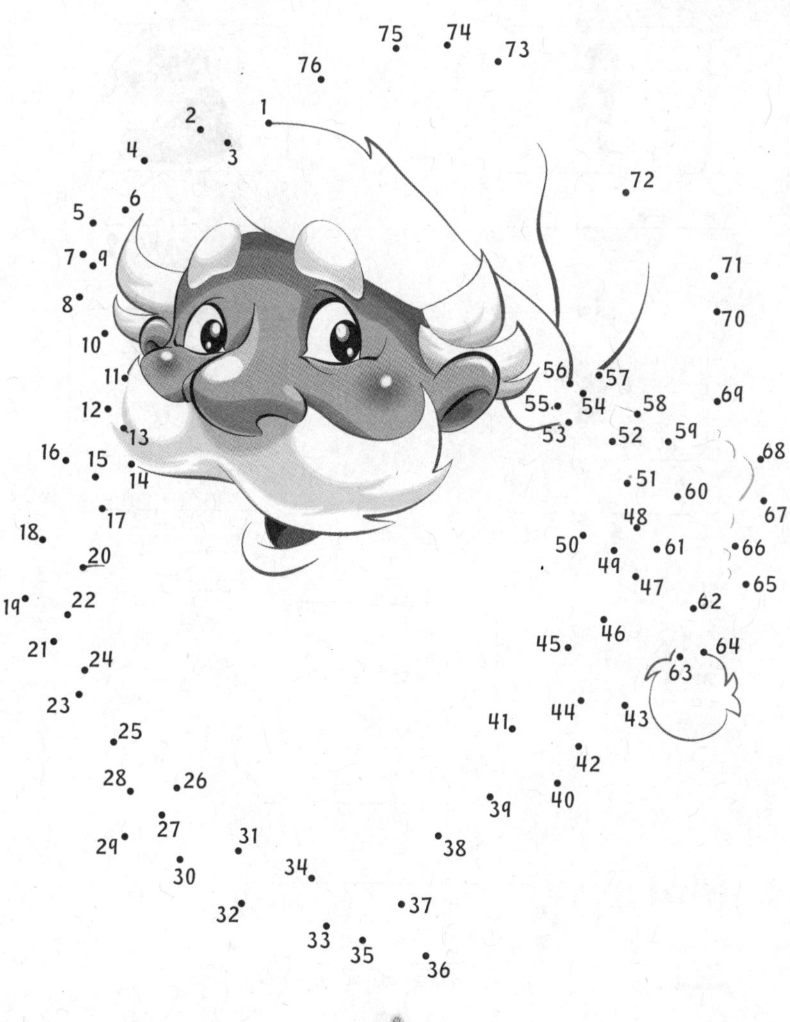

Mots à découvrir

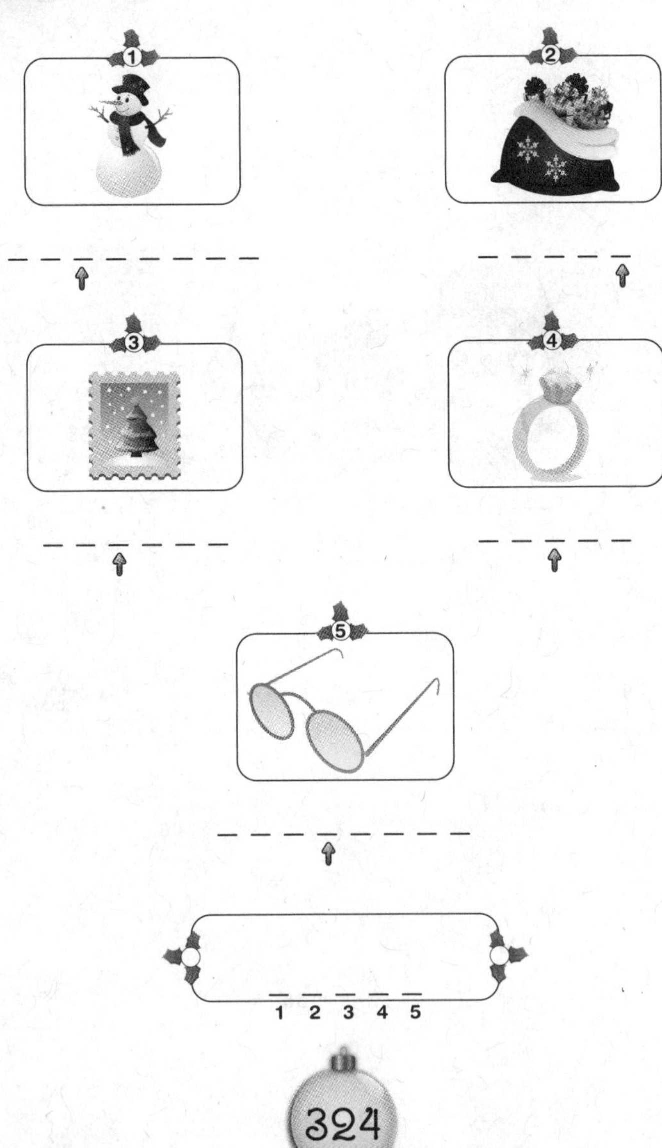

Code secret

=A =B =C =D =E =F

=G =H =I =J =K =L

=M =N =O =P =Q =R

=S =T =U =V =W =X

=Y =Z

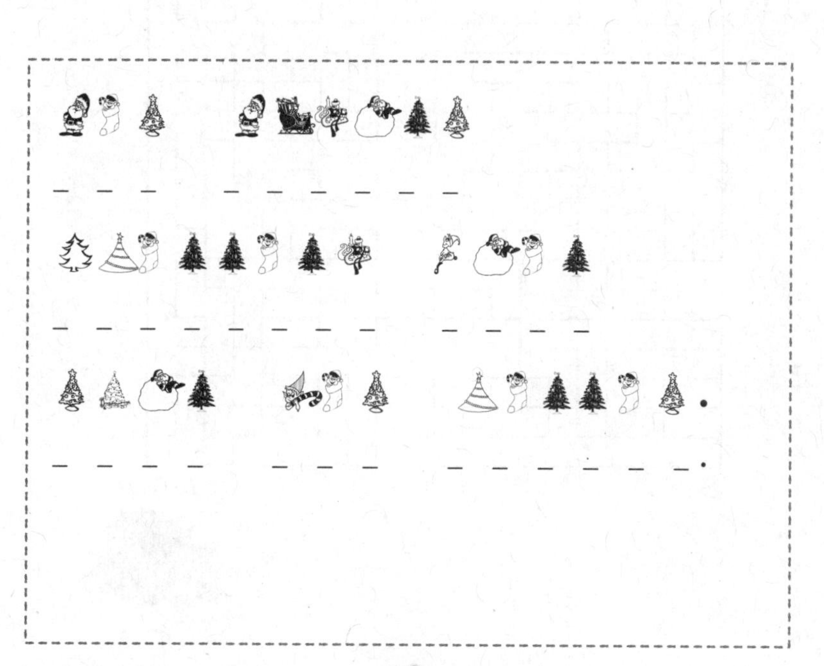

Labyrinthe

Départ

Arrivée

Sudoku

	5	6	2		
1		3			
5		2	1		6
	1				
			6	5	2
			4		3

Les ensembles

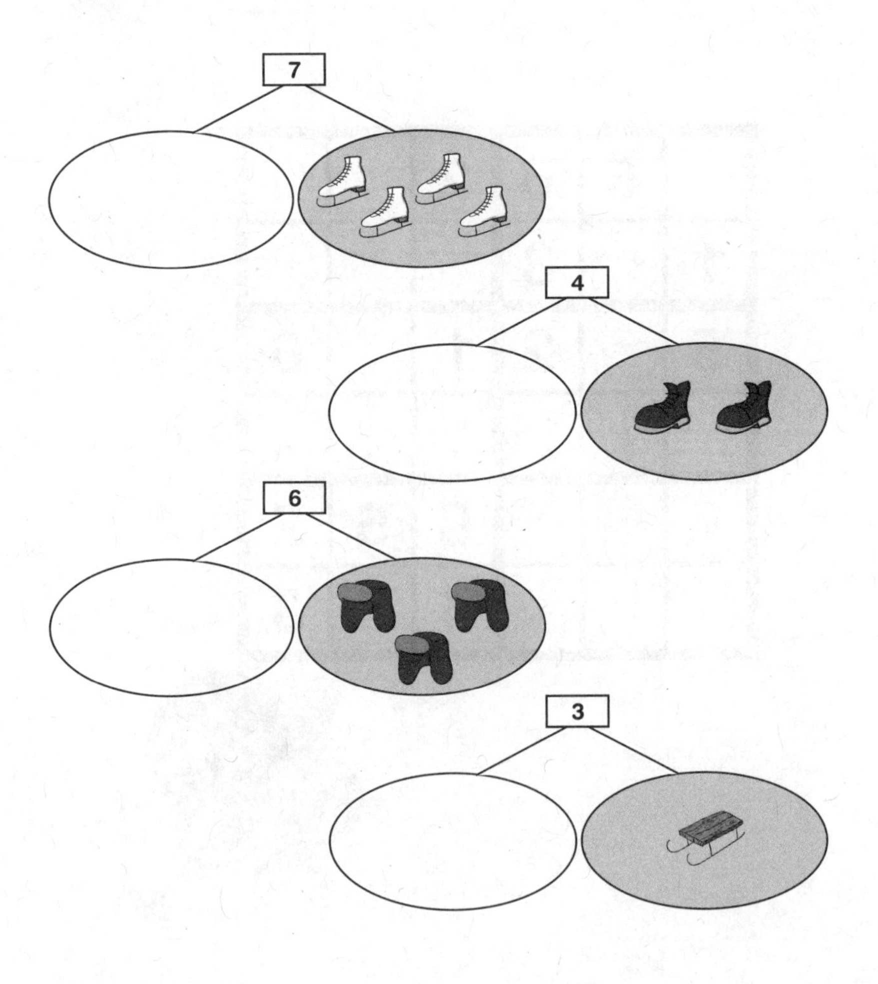

6 erreurs

L'artiste

L'heure

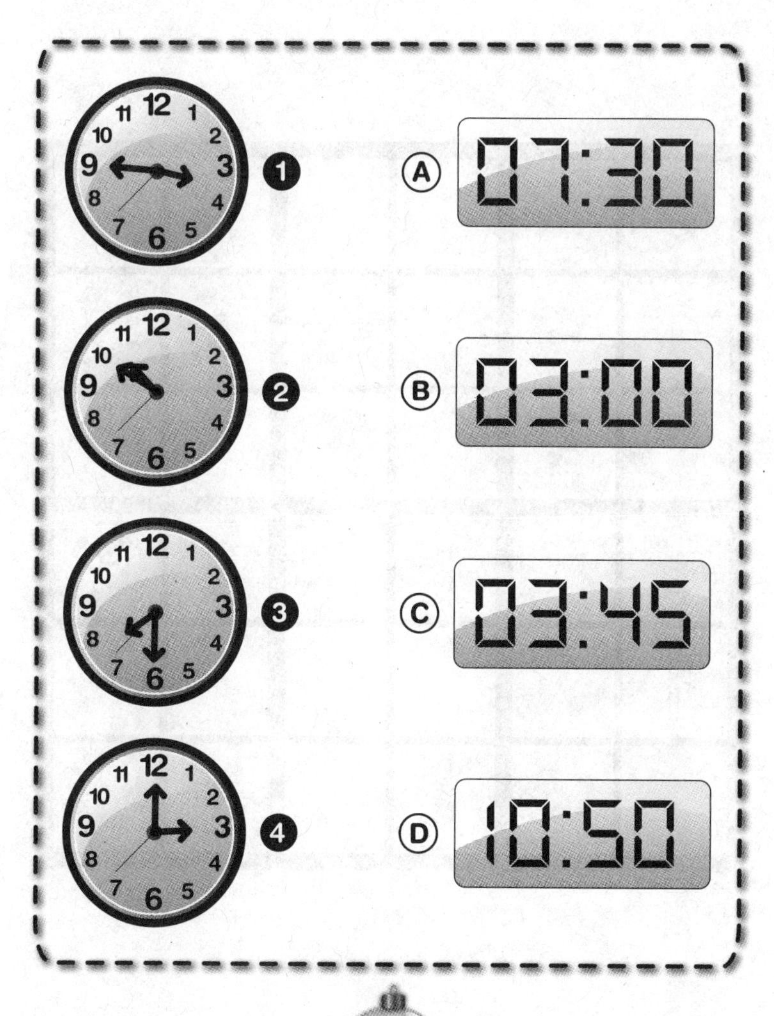

Sudoku dessins

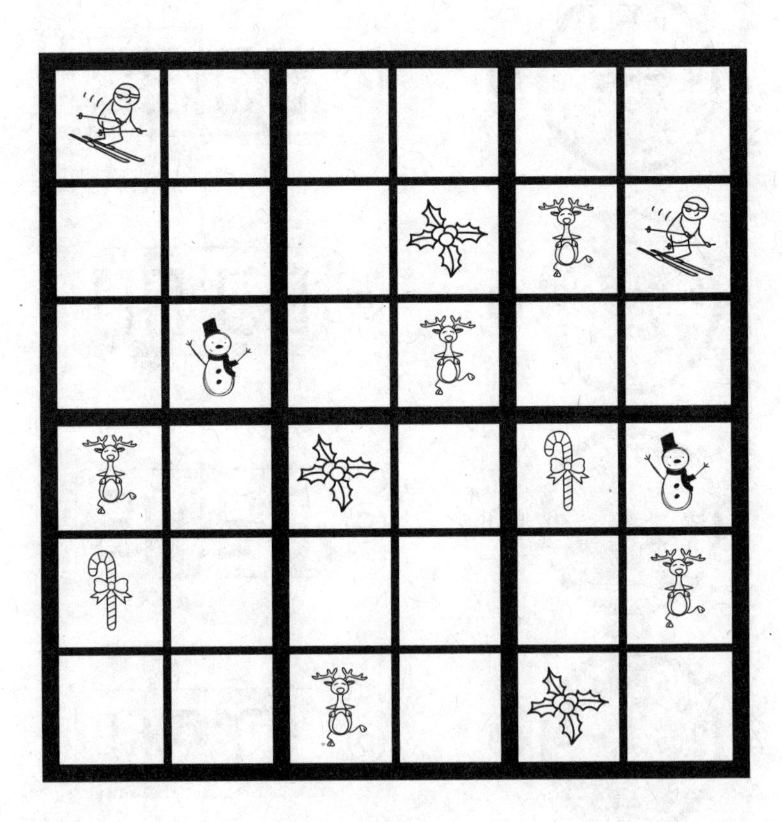

La suite

Dessin à colorier

Bingo

N 32	B 11	N 34	B 5	G 51	G 52	O 71	O 72
N 38	N 31	N 40	O 67	B 1	G 58	G 49	G 53
O 70	N 45	G 50	B 14	O 65	I 29	N 35	B 6
G 56	I 16	B 4	B 3	B 9	I 20	B 2	O 61
I 23	B 7	G 47	O 69	N 43	B 12	N 41	B 8

B	I	N	G	O
1	16	32	59	68
5	20	38	55	64
6	26	Gratuit	58	72
9	17	31	57	73
12	23	37	50	67

Parfaite orthographe

◯ **KLÔCHE**

◯ **CLOCHE**

◯ **CLÔCHE**

Le double

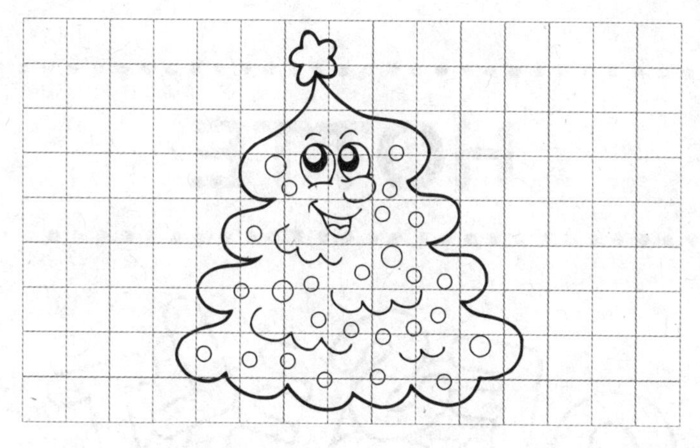

HOTTE

Symétrie

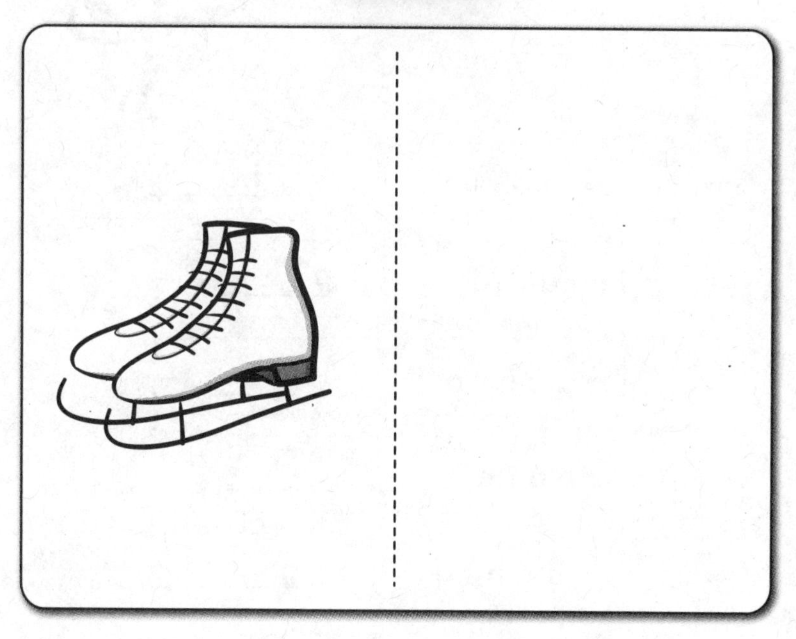

Bourrasques de mots

n d i e n _ i _ _ _

l p l u p _ _ _

s u o n r o _ _ r _ _ _

e r n é t e _ _ _ _ _ e

s a n t g g _ _ _ _

Le serrurier

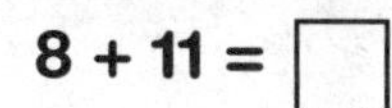

8 + 11 = ☐ 4 + 5 = ☐ 14 - 11 = ☐

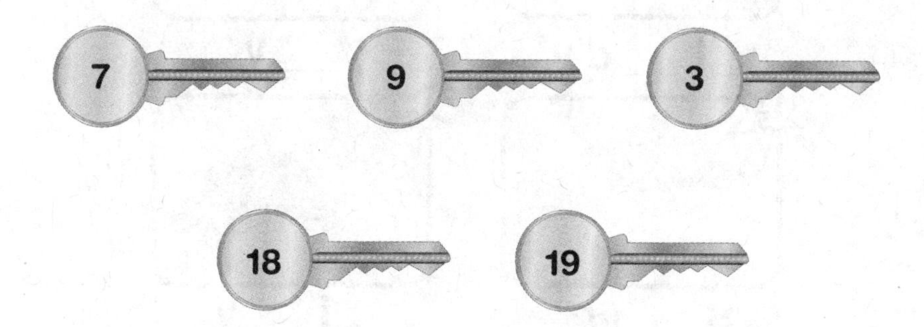

Le traducteur

WINTER TEMPERATURE

Snowy	Sunny	Cloudy
Cold	Windy	Icy

Le jumeau

1.

2.

3.

4.

Tornades de lettres

Mots entrecroisés

3
Coq
Don
Fée

4
Cerf
Vert

5
Amour
Toast

6
Amande
Pointe

Mot dans l'ombre

1								
2								
3								
4								
5								

Indice : Saison.

1 **Plante de Noël.**
2 **Qui ne peut faire son choix.**
3 **La couleur du sapin.**
4 **Spécialiste.**
5 **Le petit renne au nez rouge.**

Mots cachés

B	R	A	N	C	H	E	B	N
O	I	C	A	R	O	T	T	E
U	G	F	O	B	A	L	A	I
T	O	R	J	O	U	E	R	G
O	L	O	U	R	I	R	E	E
N	O	I	R	O	C	H	E	S
S	S	D	F	L	O	C	O	N
A	C	T	I	V	I	T	E	S
L	E	C	H	A	P	E	A	U

Activités
Balai
Boutons
Branche
Carotte
Chapeau
Flocon
Froid
Jouer
Neige
Rigolos
Rire
Roches

Mot de 5 lettres :

____

De point en point

Mots à découvrir

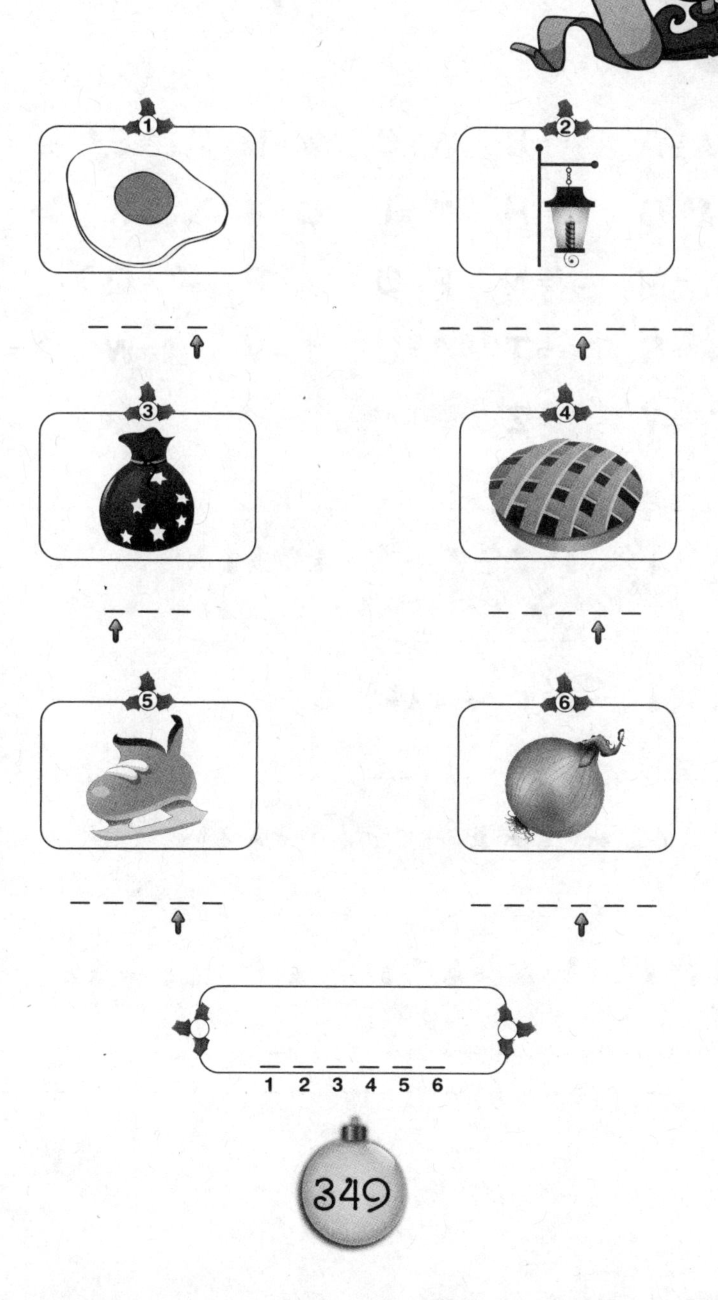

Code secret

= A   = B   = C   = D   = E   = F

= G   = H   = I   = J   = K   = L

= M   = N   = O   = P   = Q   = R

= S   = T   = U   = V   = W   = X

= Y   = Z

_ _ _   _ _ _ _ _ _ _   _ _ _ _ _ _ _

_ _   _ _̀ _ _   _ _ _̈ _   _̀

_ _ _ _ _ _ _ _ _ _ _   _ _ _ _ _ _

_ _ _   _ _ _ _ _ _ _ _ _   _ _   _ _ _ _ _.

Labyrinthe

Départ

Arrivée

Sudoku

	2				
					4
		5	6		
3					
					5
	4			6	3

Les ensembles

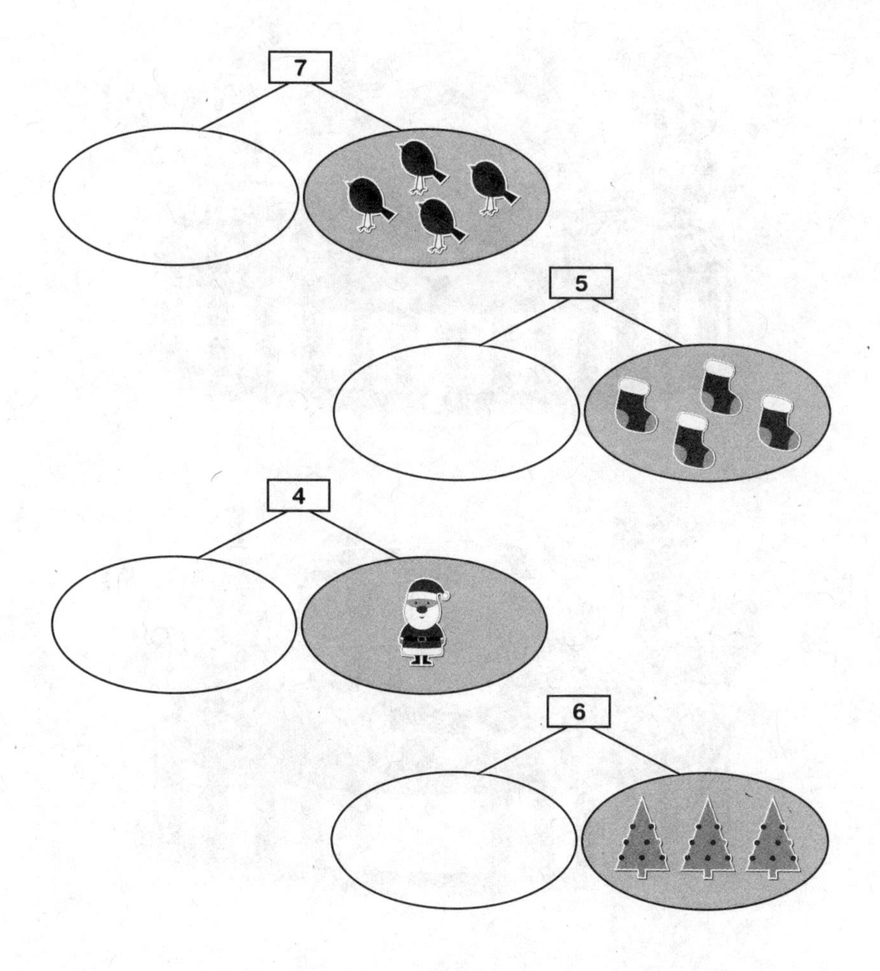

6 erreurs

L'artiste

L'heure

Sudoku dessins

La suite

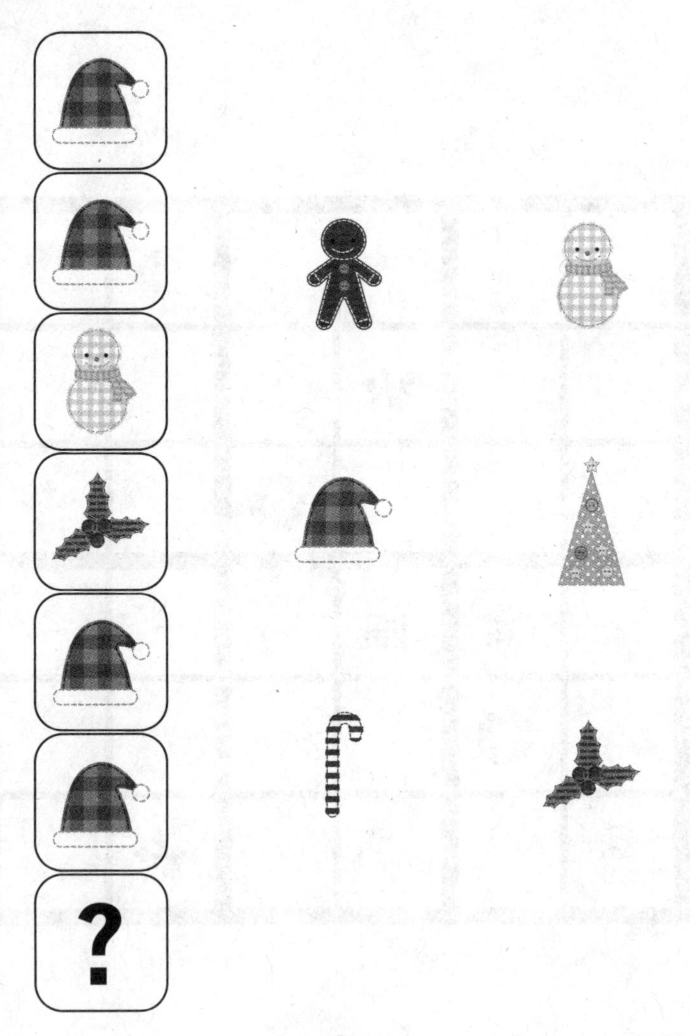

Dessin à colorier

Bingo

I 23	O 70	I 30	B 5	N 42	N 39	I 27	N 44
B 11	N 40	B 4	I 25	O 62	I 24	N 32	G 57
B 9	B 15	G 56	I 19	N 36	G 58	N 35	B 8
O 66	G 49	O 65	G 55	B 2	B 6	G 47	O 63
I 21	I 16	N 43	B 1	B 13	G 51	B 7	N 41

B	I	N	G	O
11	30	44	58	69
5	24	38	60	65
6	20	Gratuit	52	72
15	17	40	51	75
9	16	32	54	62

Parfaite orthographe

○ **KADEAU**

○ **CÂDEAU**

○ **CADEAU**

Le double

CARTE

Symétrie

Bourrasques de mots

é b b é b _ _ _

g ç a e l a g _ _ _ ç _ _ _

o s i r _ _ i _

l n o c f o _ _ _ _ _ n

s a b b _ _

Solutions

Solutions

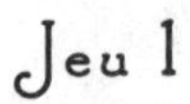

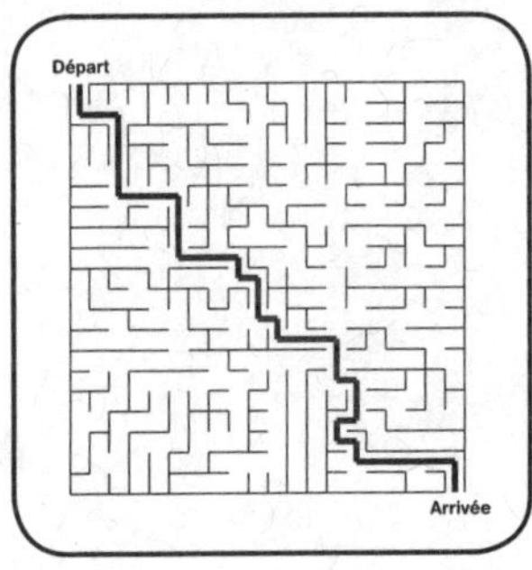

Jeu 2

6	5	3	2	1	4
4	2	1	5	6	3
5	6	4	3	2	1
3	1	2	4	5	6
2	3	6	1	4	5
1	4	5	6	3	2

Jeu 3

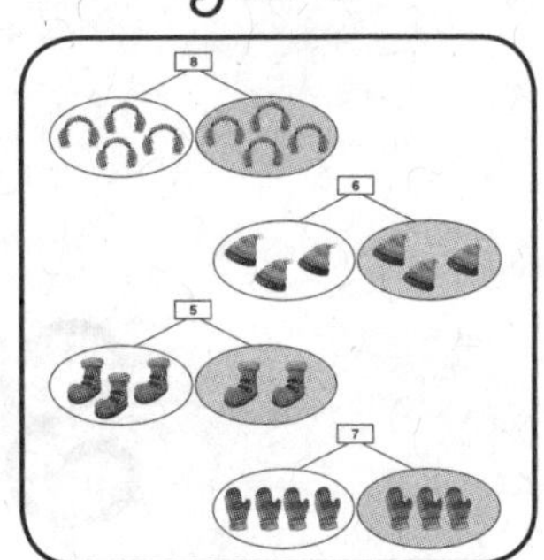

Jeu 4

Jeu 6

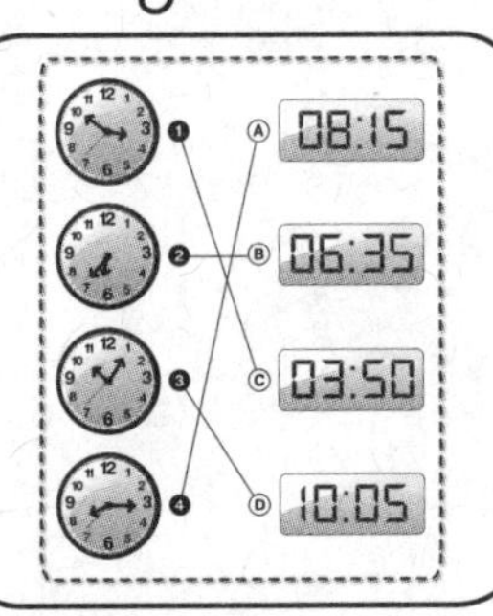

Jeu 7

Jeu 8

Jeu 10

B:11 I:26 G:50 O:75

Jeu 11

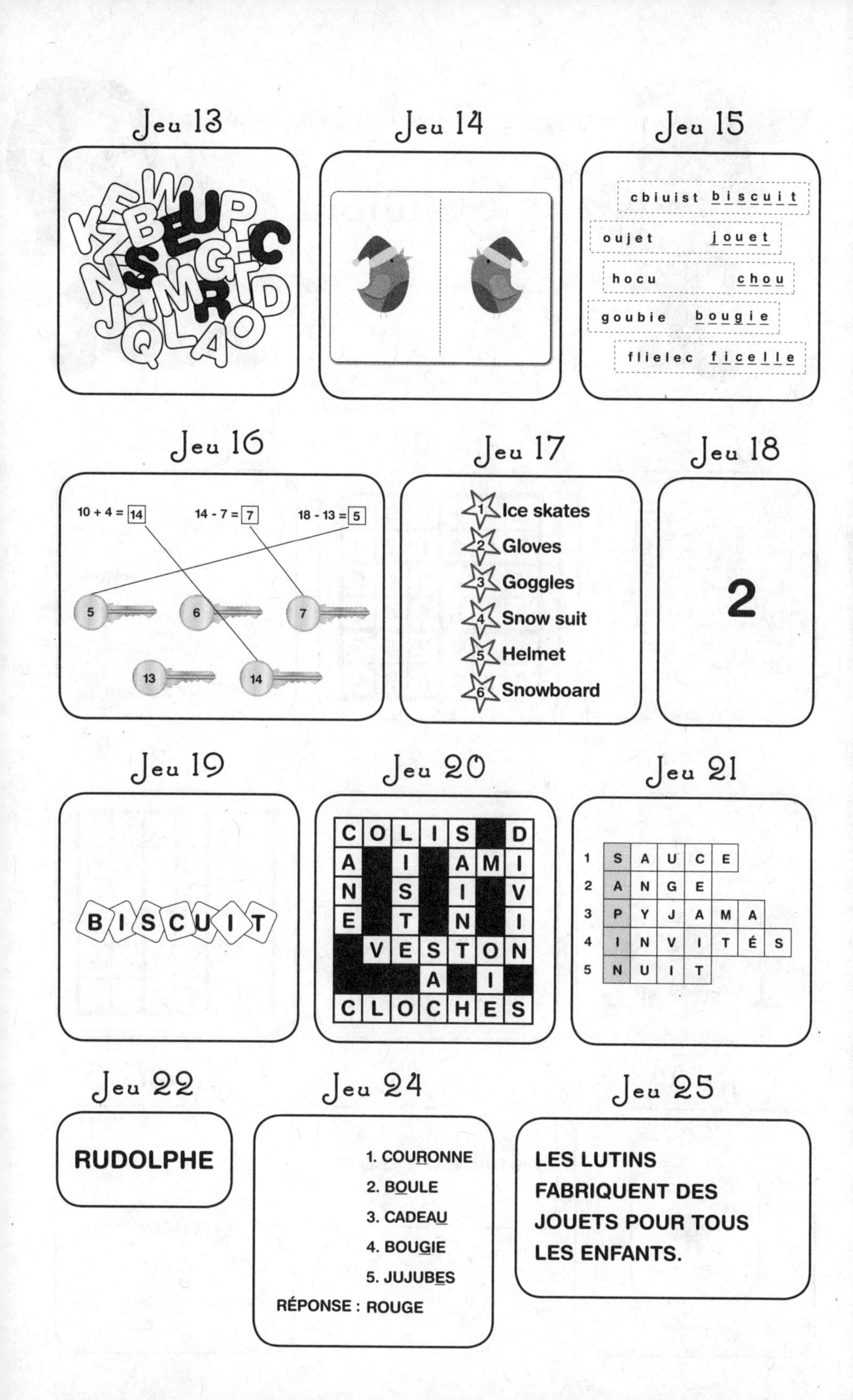

Jeu 13
Jeu 14
Jeu 15
cbiuist biscuit
oujet jouet
hocu chou
goubie bougie
flielec ficelle
Jeu 16
10 + 4 = 14
14 - 7 = 7
18 - 13 = 5
5
6
7
13
14
Jeu 17
1 Ice skates
2 Gloves
3 Goggles
4 Snow suit
5 Helmet
6 Snowboard
Jeu 18
2
Jeu 19
BISCUIT
Jeu 20
COLIS D
A I AMI
N S I V
E T N I
VESTON
A I
CLOCHES
Jeu 21
1 SAUCE
2 ANGE
3 PYJAMA
4 INVITÉS
5 NUIT
Jeu 22
RUDOLPHE
Jeu 24
1. COURONNE
2. BOULE
3. CADEAU
4. BOUGIE
5. JUJUBES
RÉPONSE : ROUGE
Jeu 25
LES LUTINS
FABRIQUENT DES
JOUETS POUR TOUS
LES ENFANTS.

Solutions

Jeu 26

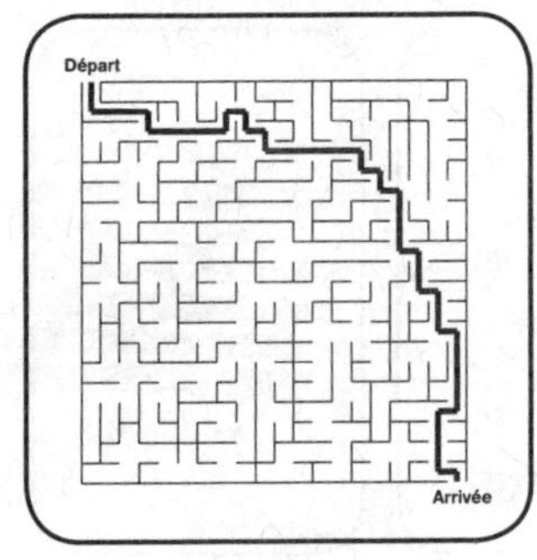

Jeu 27

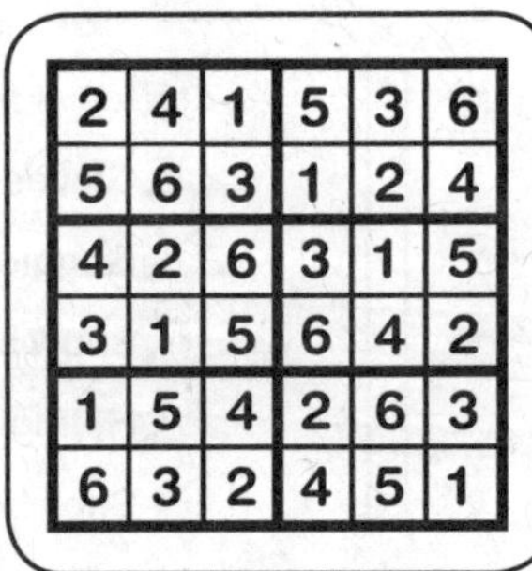

2	4	1	5	3	6
5	6	3	1	2	4
4	2	6	3	1	5
3	1	5	6	4	2
1	5	4	2	6	3
6	3	2	4	5	1

Jeu 28

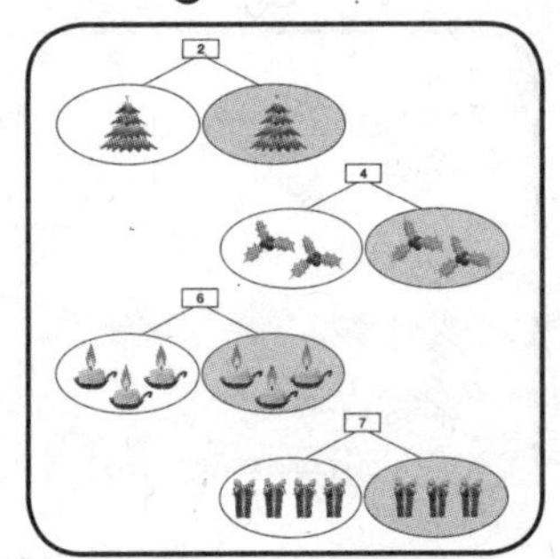

Jeu 29

Jeu 31

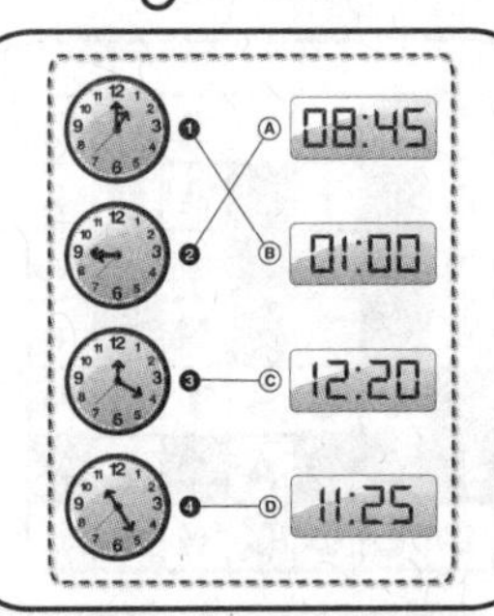

Jeu 32

Jeu 33

Jeu 35

B:9 I:30 N:39 G:53 O:67

Jeu 36

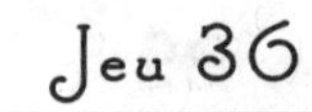

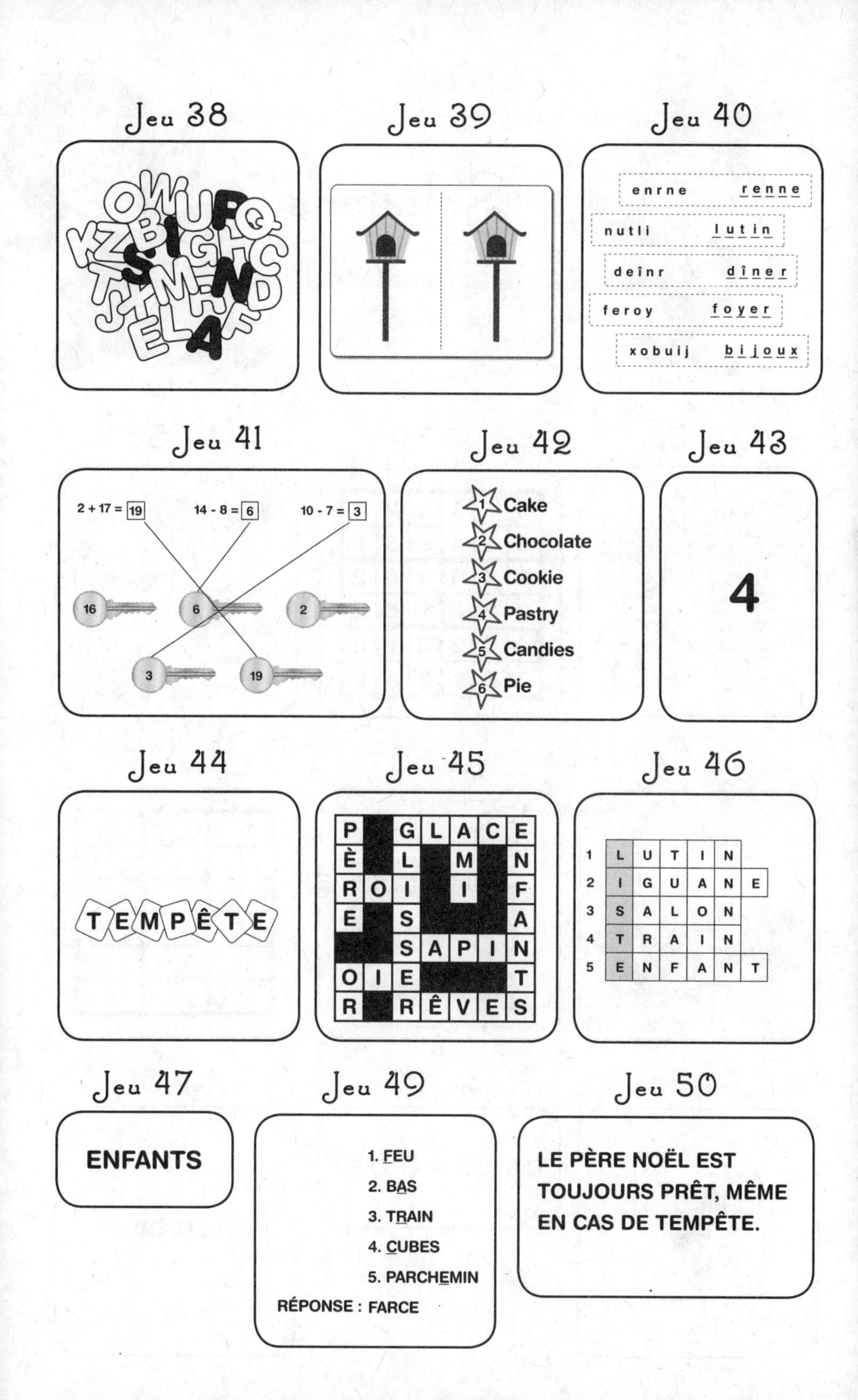
Jeu 38
Jeu 39
Jeu 40
enrne renne
nutli lutin
deînr dîner
feroy foyer
xobuij bijoux
Jeu 41
2 + 17 = 19
14 - 8 = 6
10 - 7 = 3
16
6
2
3
19
Jeu 42
1 Cake
2 Chocolate
3 Cookie
4 Pastry
5 Candies
6 Pie
Jeu 43
4
Jeu 44
TEMPÊTE
Jeu 45
P GLACE
È L M N
ROI I F
E S A
SAPIN
OIE T
R RÊVES
Jeu 46
1 LUTIN
2 IGUANE
3 SALON
4 TRAIN
5 ENFANT
Jeu 47
ENFANTS
Jeu 49
1. FEU
2. BAS
3. TRAIN
4. CUBES
5. PARCHEMIN
RÉPONSE : FARCE
Jeu 50
LE PÈRE NOËL EST TOUJOURS PRÊT, MÊME EN CAS DE TEMPÊTE.

Solutions

Jeu 51

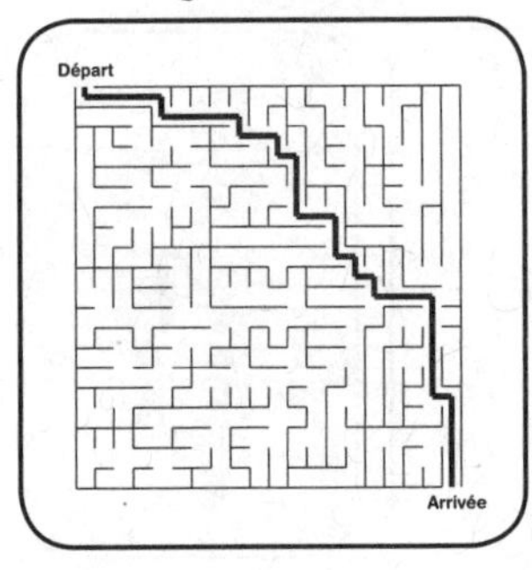

Jeu 52

5	1	3	4	2	6
6	2	4	5	3	1
1	4	5	3	6	2
2	3	6	1	5	4
4	5	2	6	1	3
3	6	1	2	4	5

Jeu 53

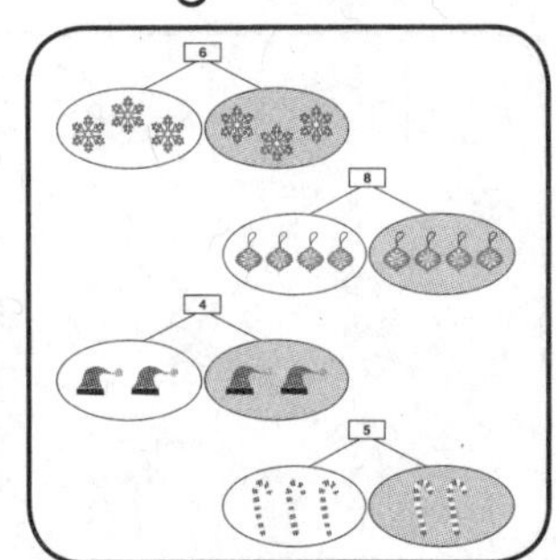

Jeu 54

Jeu 56

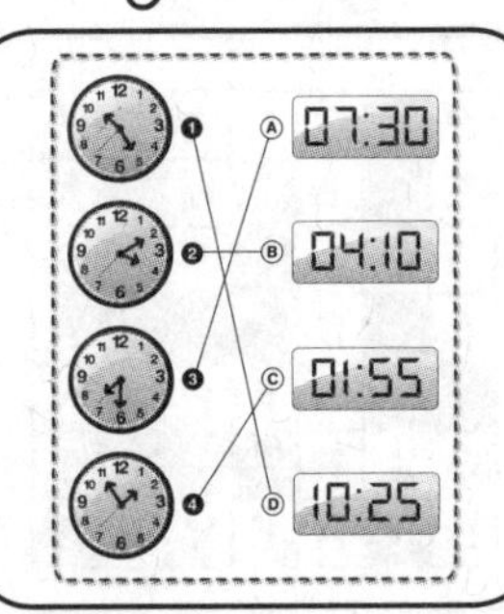

Jeu 57

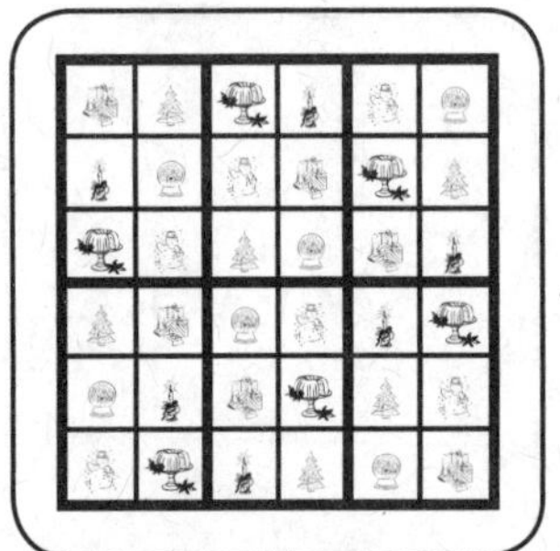

Jeu 58

Jeu 60

B:6 I:23 G:47 O:62

Jeu 61

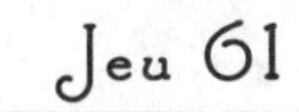

✓ **LUMIÈRES**

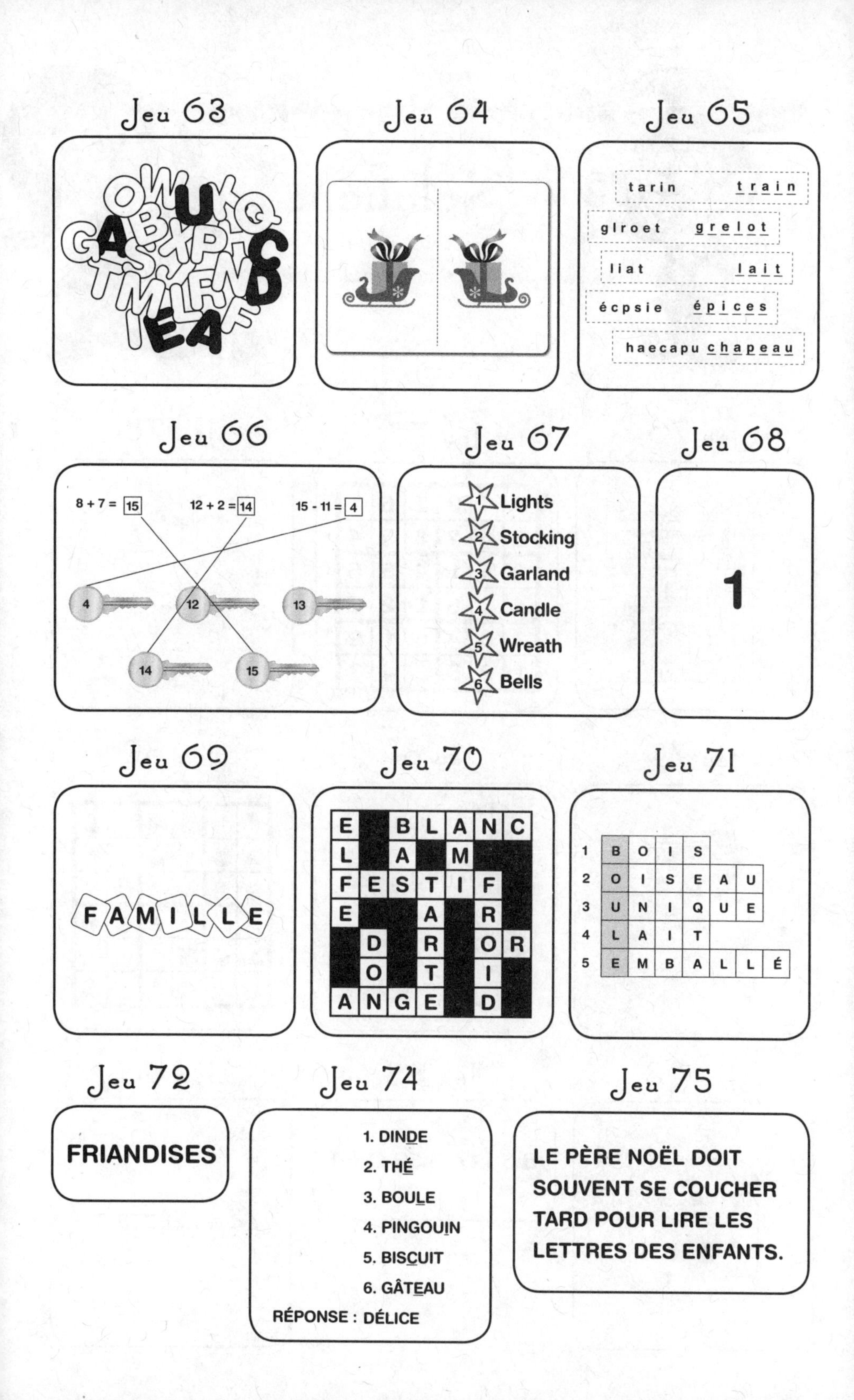
Jeu 63
Jeu 64
Jeu 65
tarin train
glroet grelot
liat lait
écpsie épices
haecapu chapeau
Jeu 66
8 + 7 = 15
12 + 2 = 14
15 - 11 = 4
4
12
13
14
15
Jeu 67
1 Lights
2 Stocking
3 Garland
4 Candle
5 Wreath
6 Bells
Jeu 68
1
Jeu 69
FAMILLE
Jeu 70
E BLANC
L A M
FESTIF
E A R
D R OR
O T I
ANGE D
Jeu 71
1 BOIS
2 OISEAU
3 UNIQUE
4 LAIT
5 EMBALLÉ
Jeu 72
FRIANDISES
Jeu 74
1. DINDE
2. THÉ
3. BOULE
4. PINGOUIN
5. BISCUIT
6. GÂTEAU
RÉPONSE : DÉLICE
Jeu 75
LE PÈRE NOËL DOIT SOUVENT SE COUCHER TARD POUR LIRE LES LETTRES DES ENFANTS.

Solutions

Jeu 76

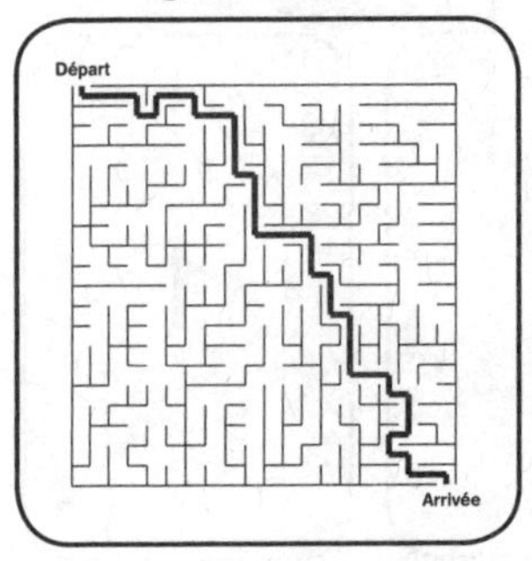

Jeu 77

5	4	3	2	6	1
6	1	2	3	5	4
2	5	1	4	3	6
4	3	6	1	2	5
3	6	4	5	1	2
1	2	5	6	4	3

Jeu 78

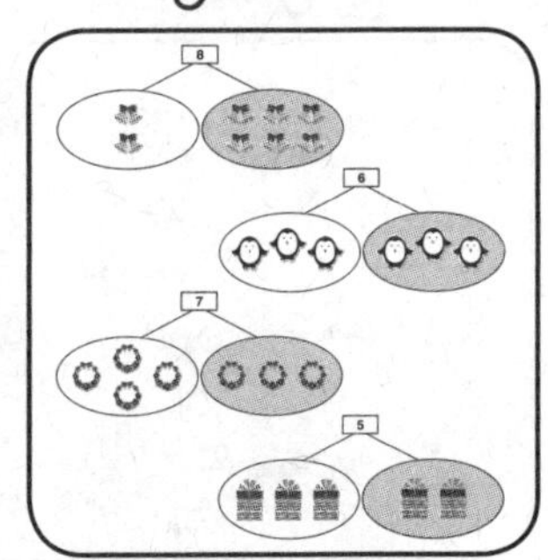

Jeu 79

Jeu 81

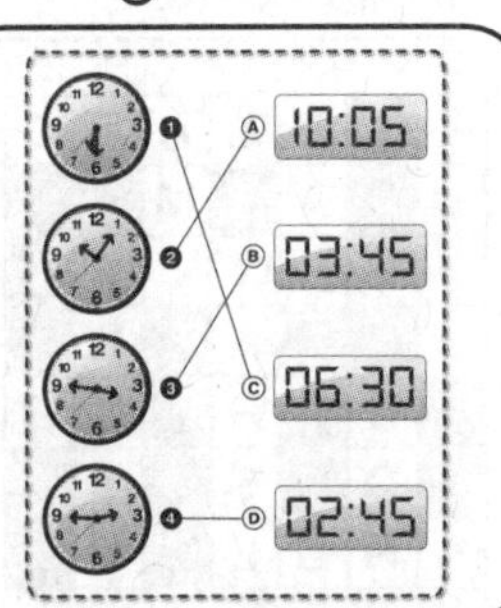

Jeu 82

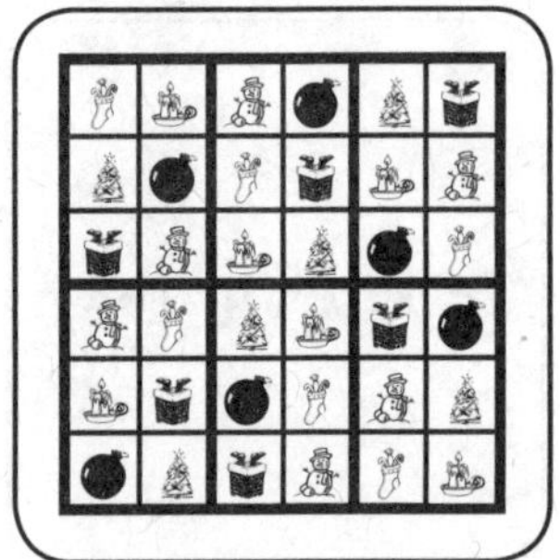

Jeu 83

Jeu 85

B:3 I:17 G:59 O:64

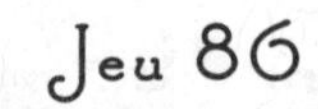

Jeu 86

✓ **GRELOTS**

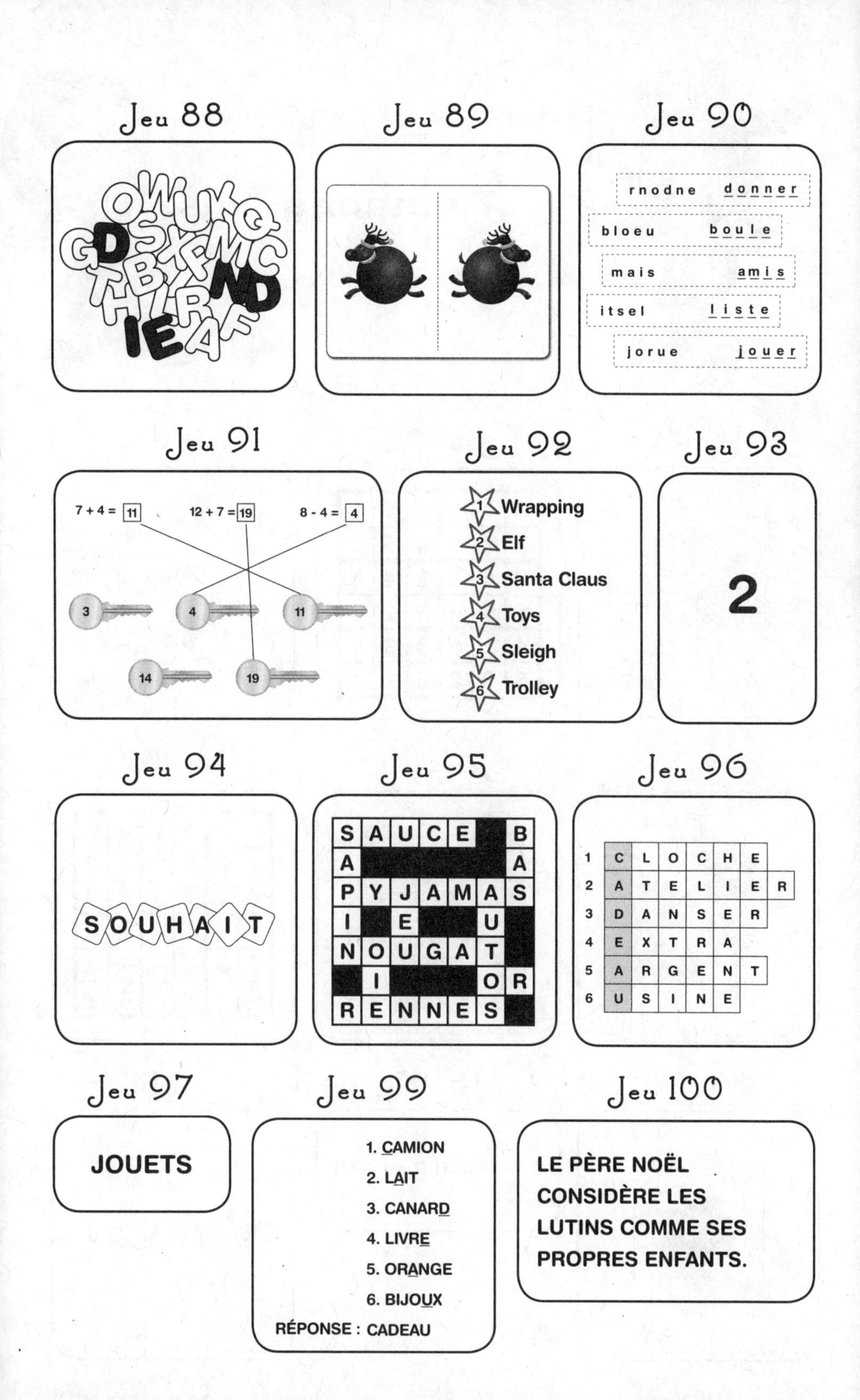
Jeu 88
Jeu 89
Jeu 90
rnodne donner
bloeu boule
mais amis
itsel liste
jorue jouer
Jeu 91
7 + 4 = 11
12 + 7 = 19
8 - 4 = 4
3
4
11
14
19
Jeu 92
1 Wrapping
2 Elf
3 Santa Claus
4 Toys
5 Sleigh
6 Trolley
Jeu 93
2
Jeu 94
SOUHAIT
Jeu 95
SAUCE B
A A
PYJAMAS
I E U
NOUGAT
I OR
RENNES
Jeu 96
1 CLOCHE
2 ATELIER
3 DANSER
4 EXTRA
5 ARGENT
6 USINE
Jeu 97
JOUETS
Jeu 99
1. CAMION
2. LAIT
3. CANARD
4. LIVRE
5. ORANGE
6. BIJOUX
RÉPONSE : CADEAU
Jeu 100
LE PÈRE NOËL CONSIDÈRE LES LUTINS COMME SES PROPRES ENFANTS.

Solutions

Jeu 101

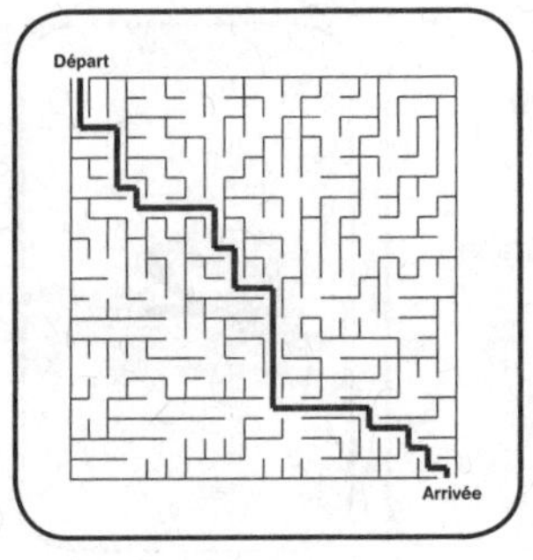

Jeu 102

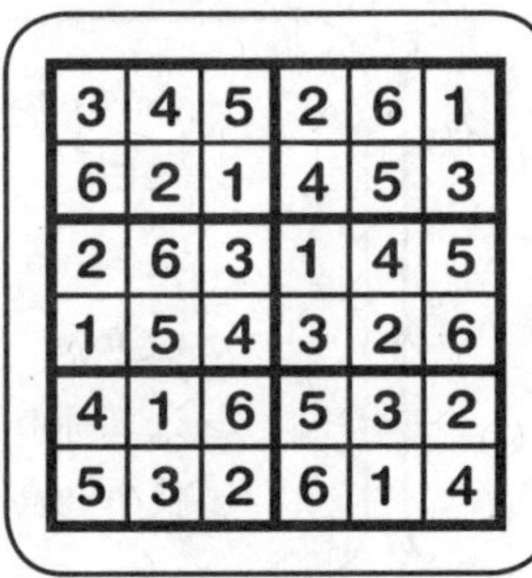

3	4	5	2	6	1
6	2	1	4	5	3
2	6	3	1	4	5
1	5	4	3	2	6
4	1	6	5	3	2
5	3	2	6	1	4

Jeu 103

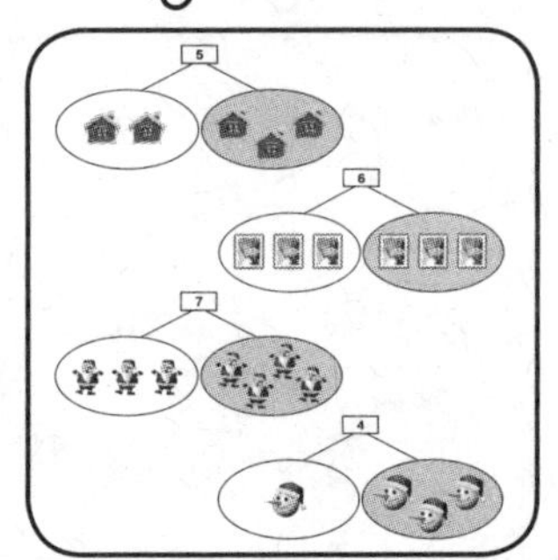

Jeu 104

Jeu 106

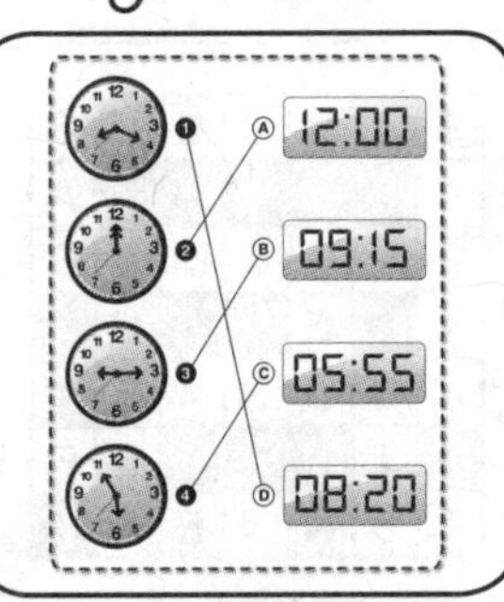

Jeu 107

Jeu 108

Jeu 110

B:1 I:18 N:41 G:49 O:64

Jeu 111

✔ GÂTEAU

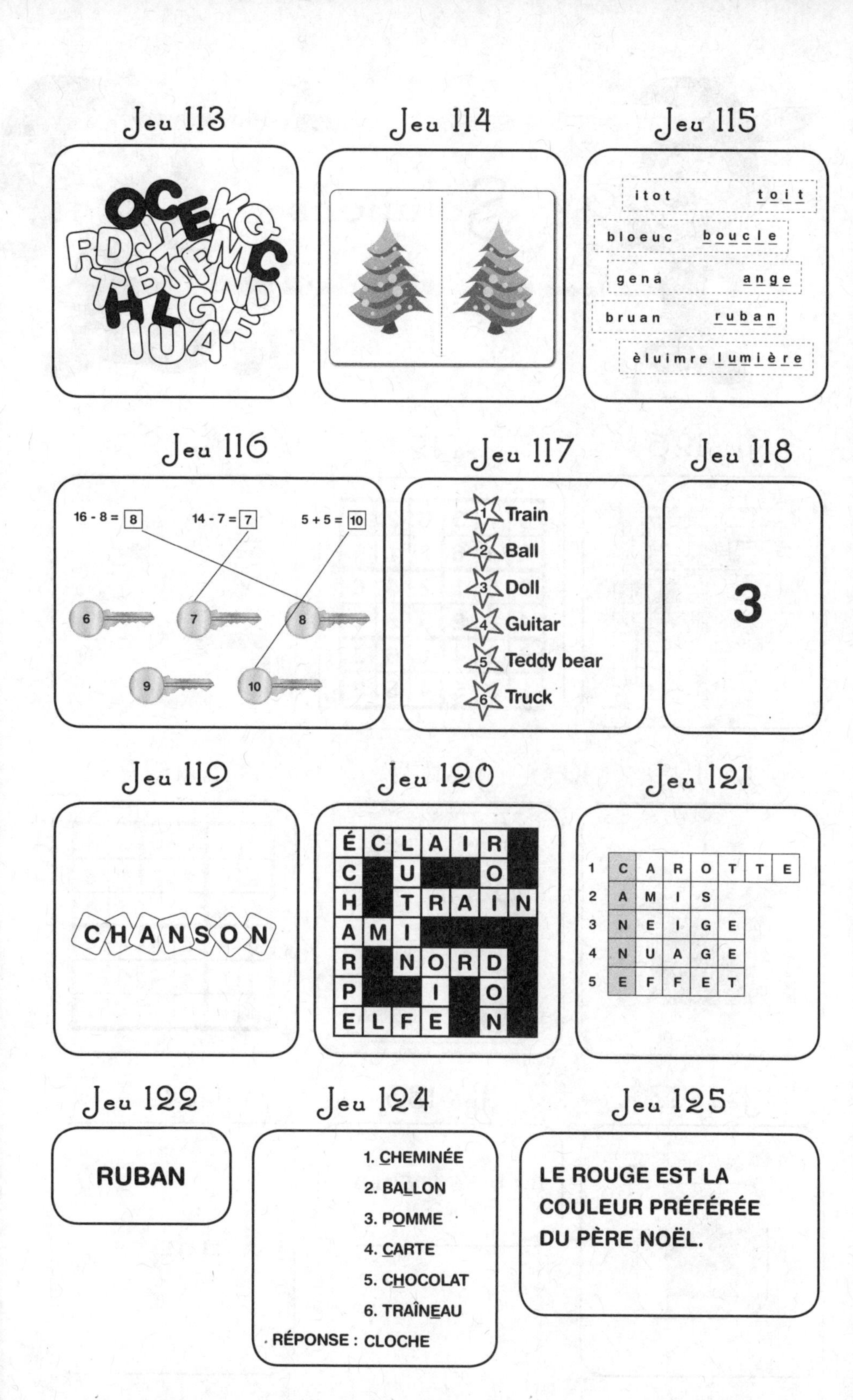
Jeu 113
Jeu 114
Jeu 115
itot toit
bloeuc boucle
gena ange
bruan ruban
èluimre lumière
Jeu 116
16 - 8 = 8
14 - 7 = 7
5 + 5 = 10
6
7
8
9
10
Jeu 117
1 Train
2 Ball
3 Doll
4 Guitar
5 Teddy bear
6 Truck
Jeu 118
3
Jeu 119
CHANSON
Jeu 120
ÉCLAIR
CHAMP
TRAIN
AMI
NORD
ELFE
Jeu 121
1 CAROTTE
2 AMIS
3 NEIGE
4 NUAGE
5 EFFET
Jeu 122
RUBAN
Jeu 124
1. CHEMINÉE
2. BALLON
3. POMME
4. CARTE
5. CHOCOLAT
6. TRAÎNEAU
RÉPONSE : CLOCHE
Jeu 125
LE ROUGE EST LA COULEUR PRÉFÉRÉE DU PÈRE NOËL.

Solutions

Jeu 126

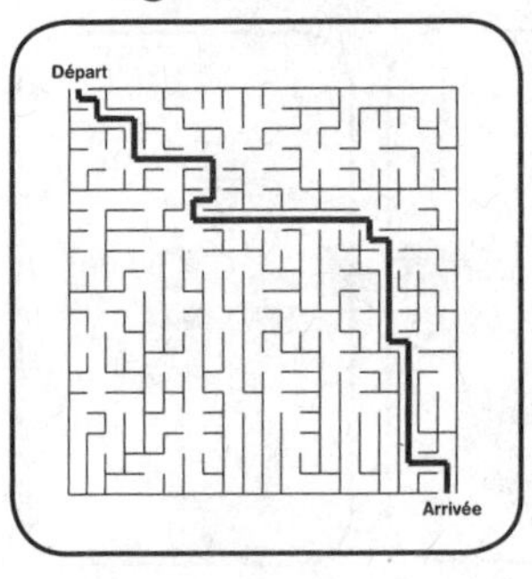

Jeu 127

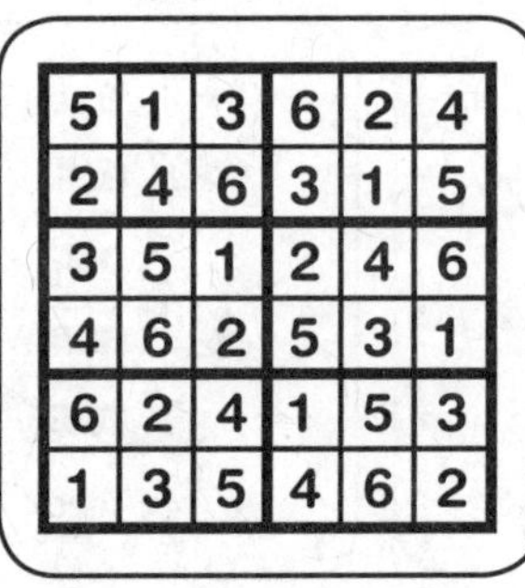

5	1	3	6	2	4
2	4	6	3	1	5
3	5	1	2	4	6
4	6	2	5	3	1
6	2	4	1	5	3
1	3	5	4	6	2

Jeu 128

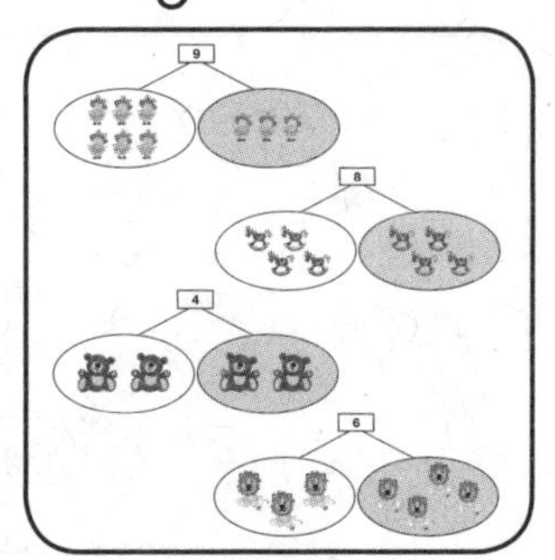

Jeu 129

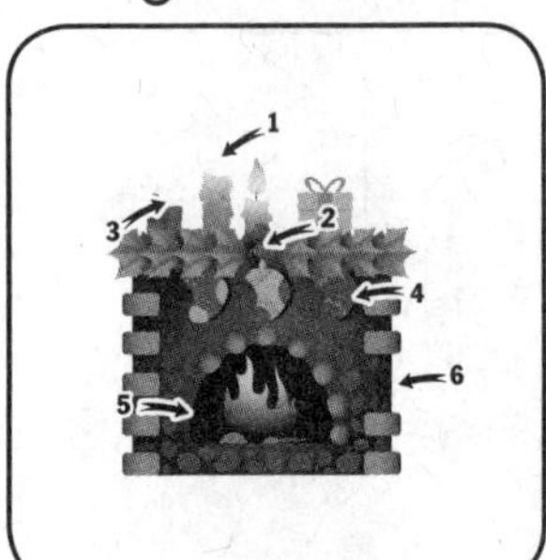

Jeu 131

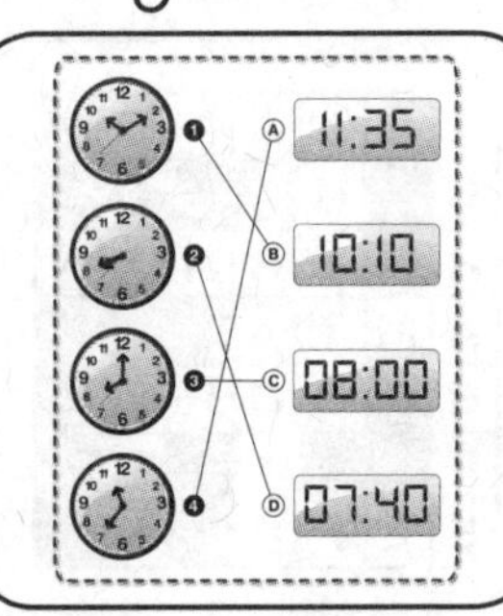

Jeu 132

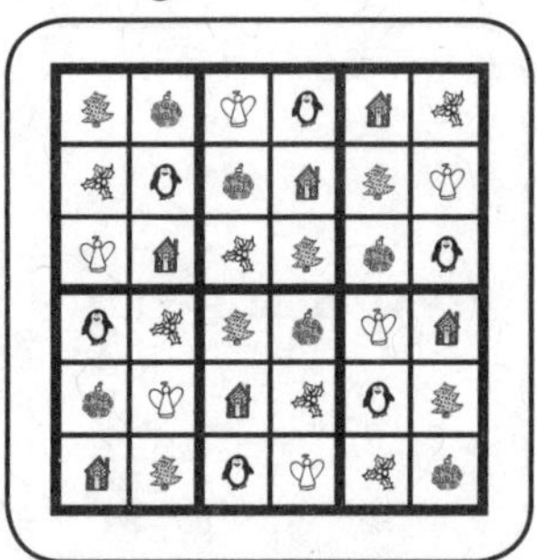

Jeu 133

Jeu 135

B:4 B:5 B:13 B:11 B:3

Jeu 136

✔ **LISTE**

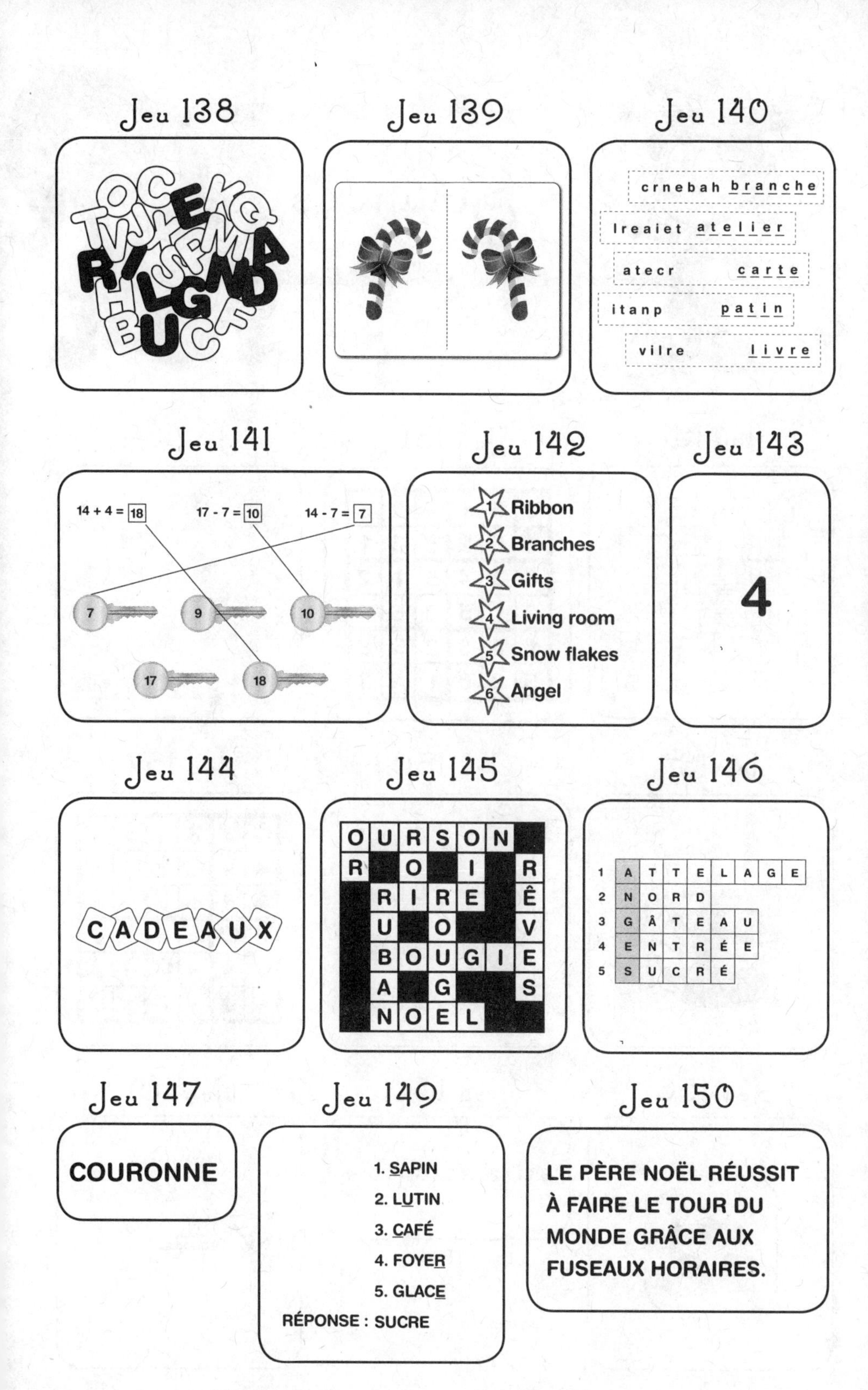
Jeu 138
Jeu 139
Jeu 140
crnebah branche
lreaiet atelier
atecr carte
itanp patin
vilre livre
Jeu 141
14 + 4 = 18
17 - 7 = 10
14 - 7 = 7
7
9
10
17
18
Jeu 142
1 Ribbon
2 Branches
3 Gifts
4 Living room
5 Snow flakes
6 Angel
Jeu 143
4
Jeu 144
CADEAUX
Jeu 145
OURSON
R O I R
RIRE Ê
U O V
BOUGIE
A G S
NOEL
Jeu 146
1 ATTELAGE
2 NORD
3 GÂTEAU
4 ENTRÉE
5 SUCRÉ
Jeu 147
COURONNE
Jeu 149
1. SAPIN
2. LUTIN
3. CAFÉ
4. FOYER
5. GLACE
RÉPONSE : SUCRE
Jeu 150
LE PÈRE NOËL RÉUSSIT
À FAIRE LE TOUR DU
MONDE GRÂCE AUX
FUSEAUX HORAIRES.

Solutions

Jeu 151

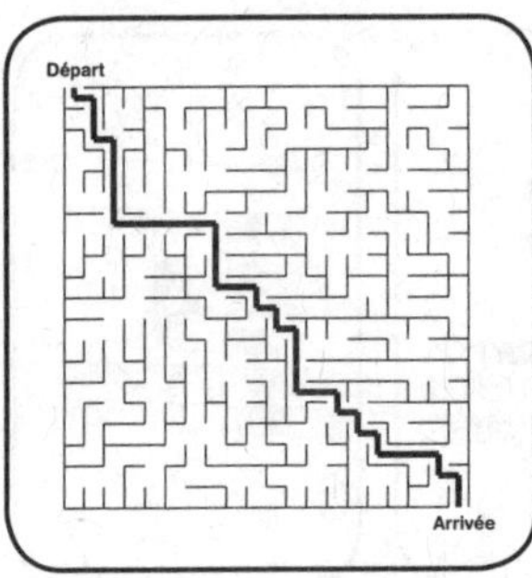

Jeu 152

3	6	1	4	2	5
4	5	2	6	3	1
6	3	4	5	1	2
2	1	5	3	6	4
1	4	3	2	5	6
5	2	6	1	4	3

Jeu 153

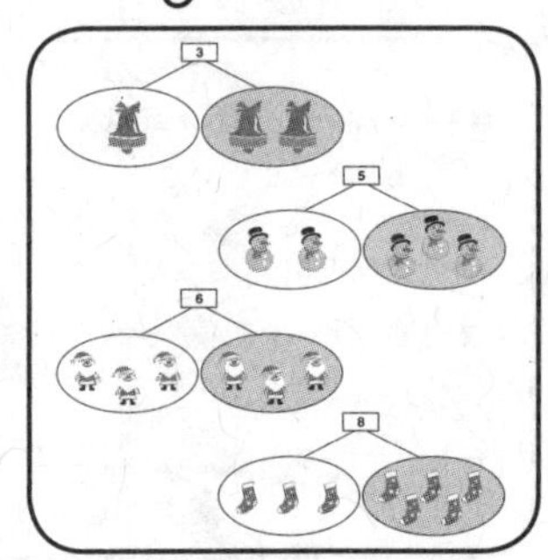

Jeu 154

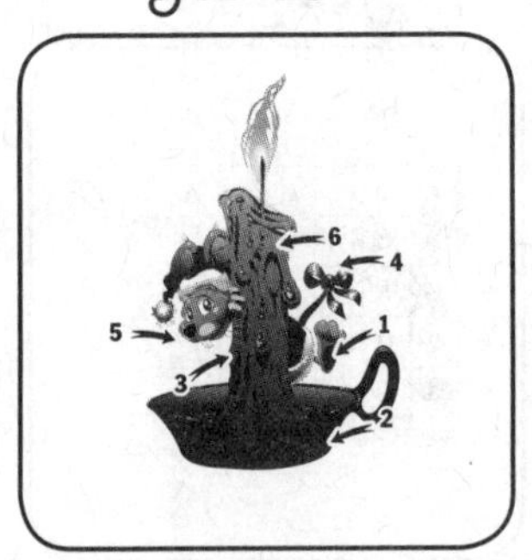

Jeu 156

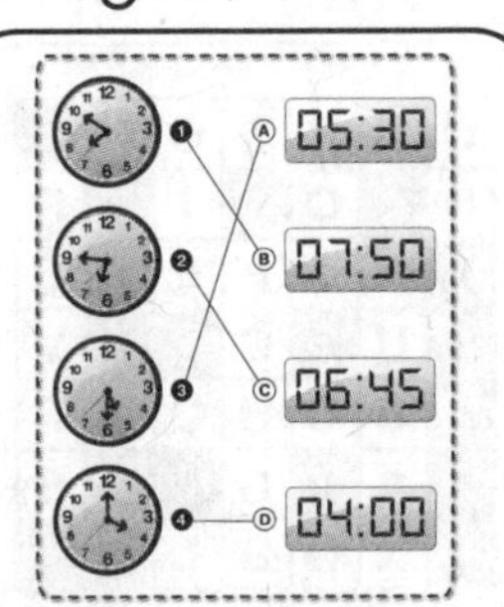

Jeu 157

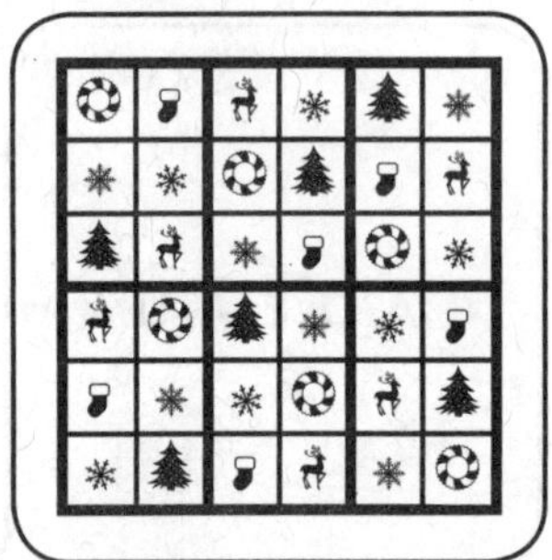

Jeu 158

Jeu 160

B:14 I:25 N:32 G:48 O:66

Jeu 161

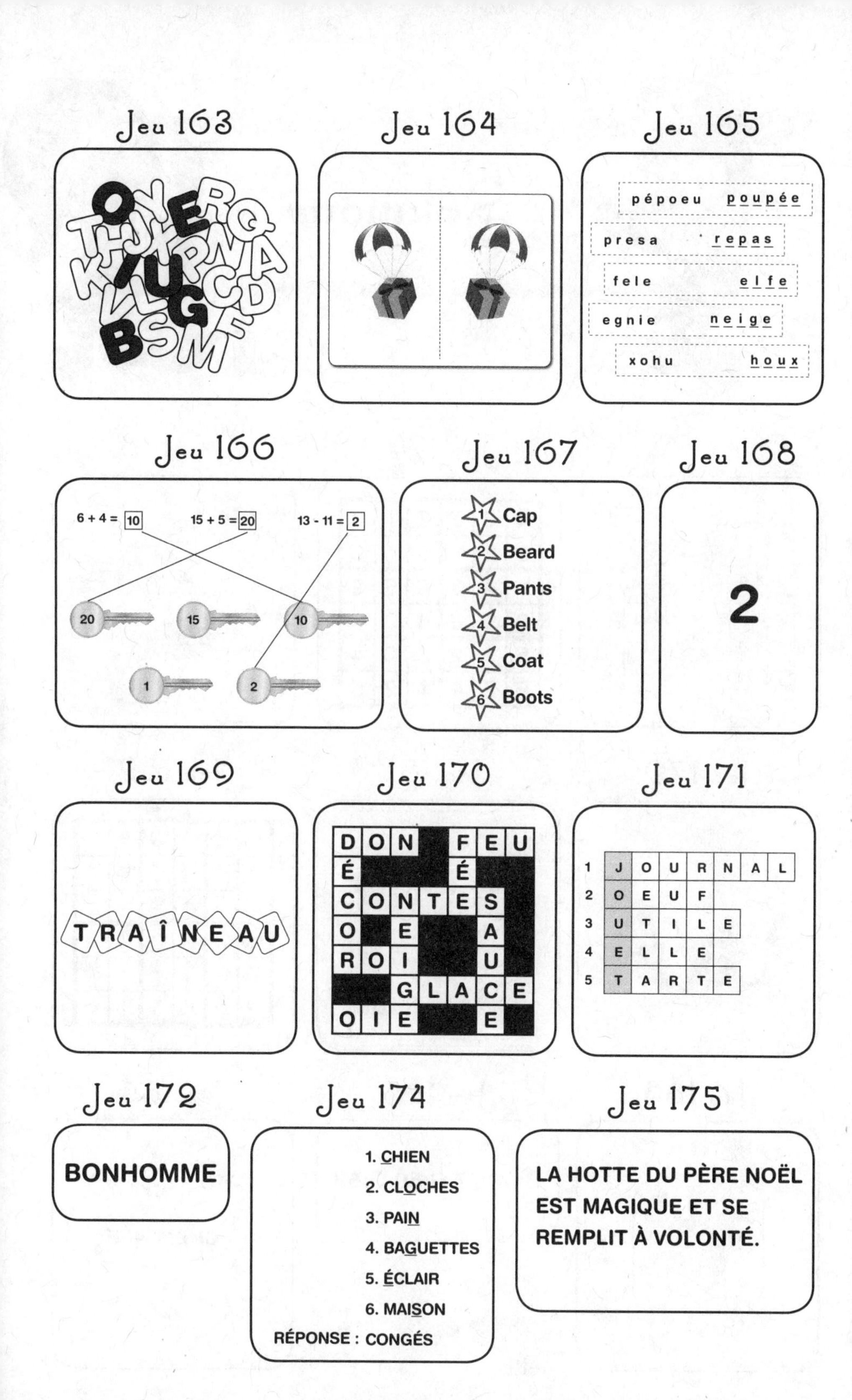
Jeu 163
Jeu 164
Jeu 165
pépoeu poupée
presa repas
fele elfe
egnie neige
xohu houx
Jeu 166
6 + 4 = 10
15 + 5 = 20
13 - 11 = 2
20
15
10
1
2
Jeu 167
1 Cap
2 Beard
3 Pants
4 Belt
5 Coat
6 Boots
Jeu 168
2
Jeu 169
TRAÎNEAU
Jeu 170
DON FEU
É É
CONTES
O E A
ROI U
GLACE
OIE E
Jeu 171
1 JOURNAL
2 OEUF
3 UTILE
4 ELLE
5 TARTE
Jeu 172
BONHOMME
Jeu 174
1. CHIEN
2. CLOCHES
3. PAIN
4. BAGUETTES
5. ÉCLAIR
6. MAISON
RÉPONSE : CONGÉS
Jeu 175
LA HOTTE DU PÈRE NOËL EST MAGIQUE ET SE REMPLIT À VOLONTÉ.

Solutions

Jeu 176

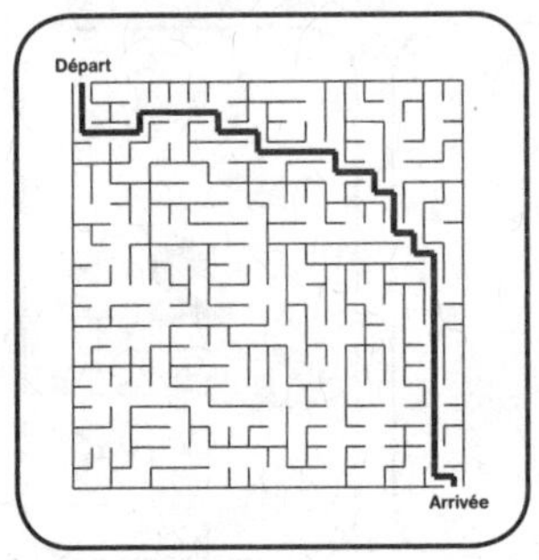

Jeu 177

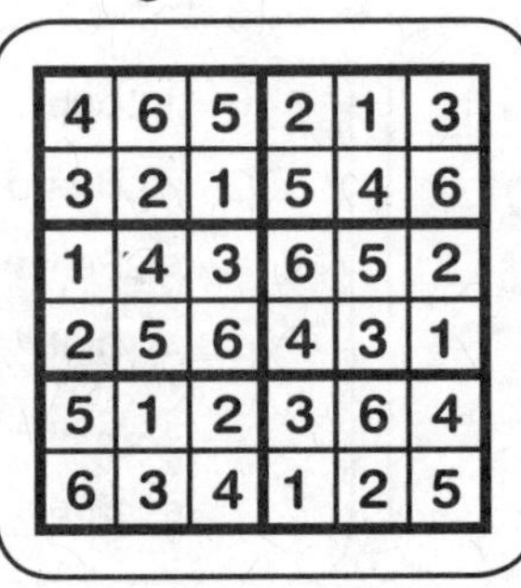

4	6	5	2	1	3
3	2	1	5	4	6
1	4	3	6	5	2
2	5	6	4	3	1
5	1	2	3	6	4
6	3	4	1	2	5

Jeu 178

Jeu 179

Jeu 181

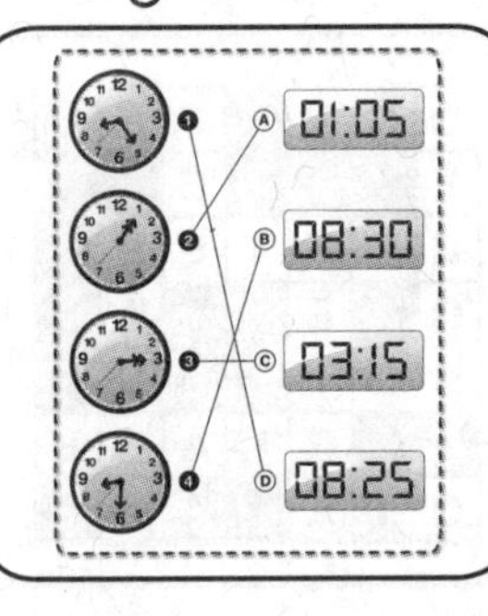

Jeu 182

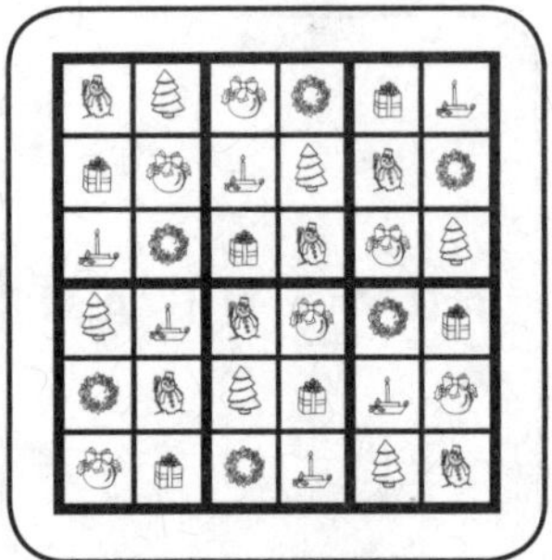

Jeu 183

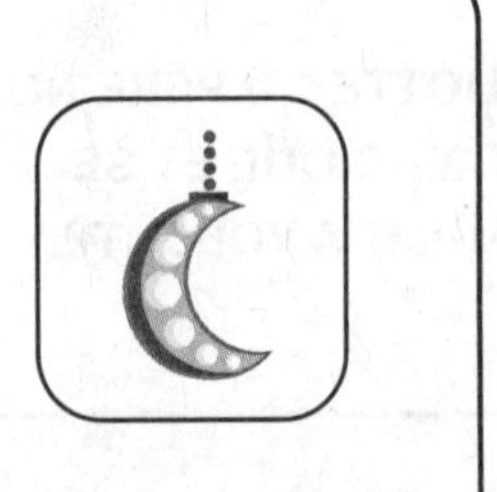

Jeu 185

B:6 I:27 G:50 O:68

Jeu 186

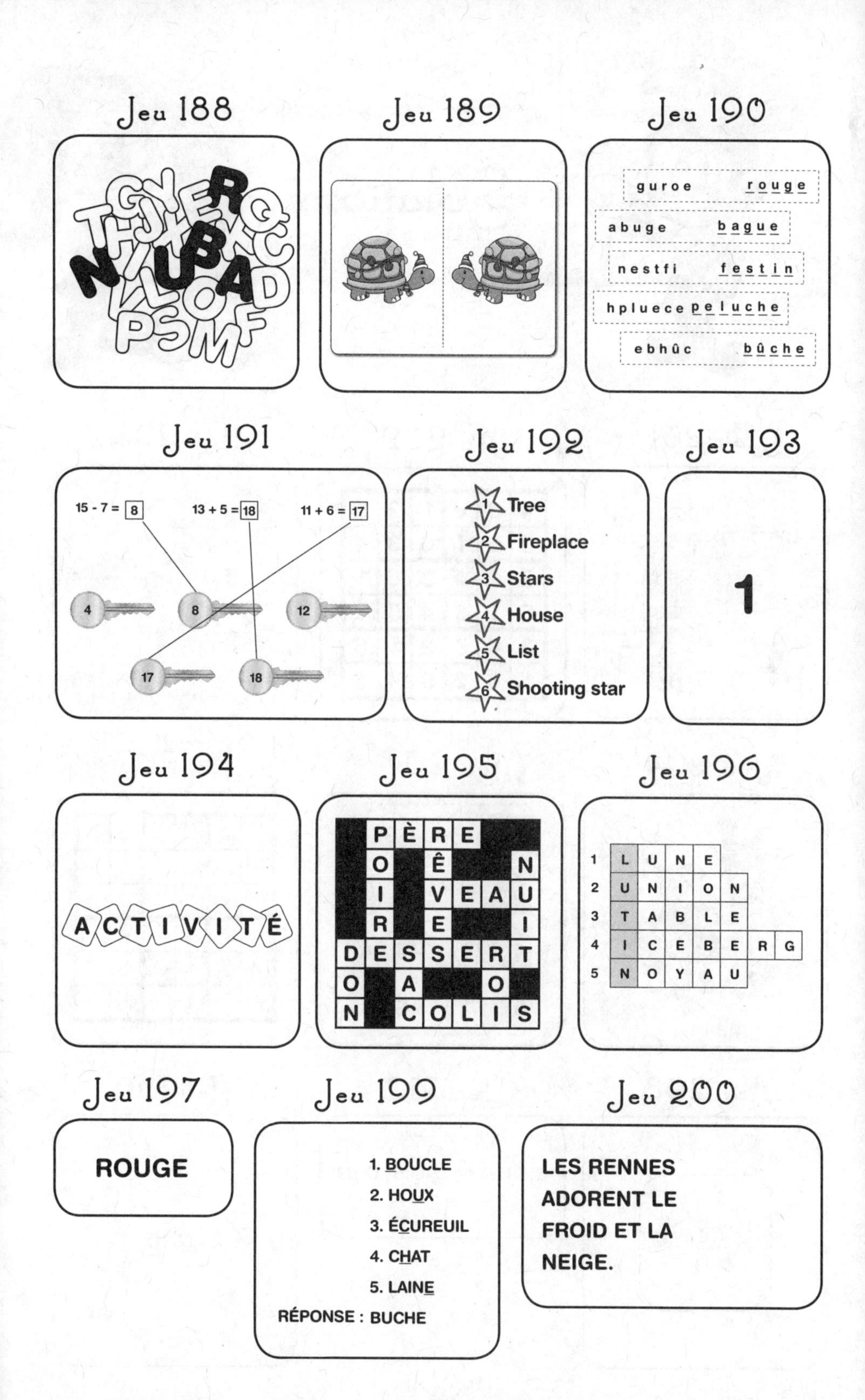

Jeu 188
Jeu 189
Jeu 190
guroe rouge
abuge bague
nestfi festin
hpluece peluche
ebhûc bûche
Jeu 191
15 - 7 = 8
13 + 5 = 18
11 + 6 = 17
4
8
12
17
18
Jeu 192
1 Tree
2 Fireplace
3 Stars
4 House
5 List
6 Shooting star
Jeu 193
1
Jeu 194
ACTIVITÉ
Jeu 195
PÈRE
O Ê N
I VEAU
R E I
DESSERT
O A O
N COLIS
Jeu 196
1 LUNE
2 UNION
3 TABLE
4 ICEBERG
5 NOYAU
Jeu 197
ROUGE
Jeu 199
1. BOUCLE
2. HOUX
3. ÉCUREUIL
4. CHAT
5. LAINE
RÉPONSE : BUCHE
Jeu 200
LES RENNES
ADORENT LE
FROID ET LA
NEIGE.

Solutions

Jeu 201

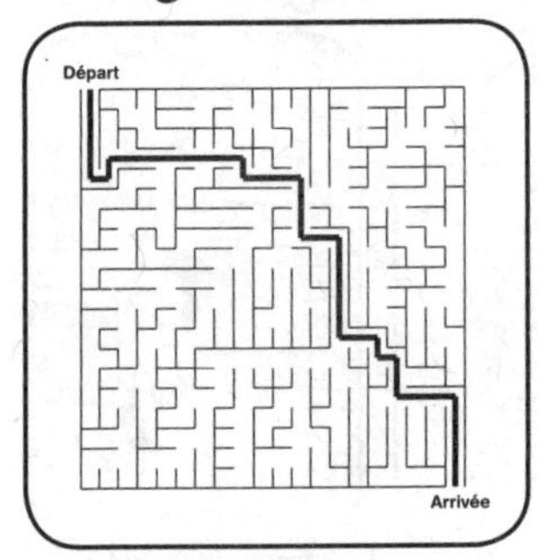

Jeu 202

4	3	6	1	2	5
2	5	1	6	3	4
5	2	4	3	6	1
6	1	3	4	5	2
3	4	5	2	1	6
1	6	2	5	4	3

Jeu 203

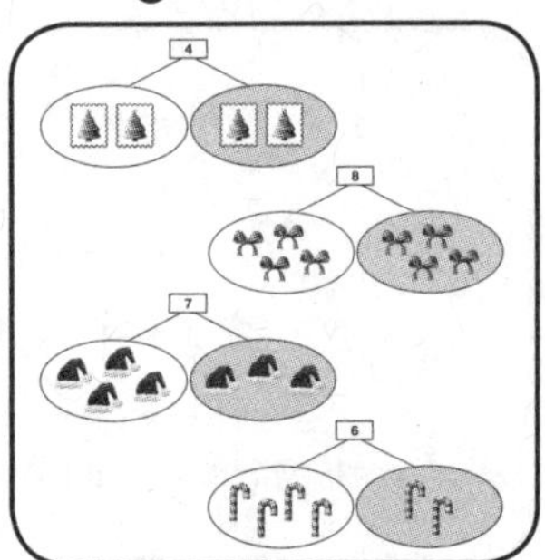

Jeu 204

Jeu 206

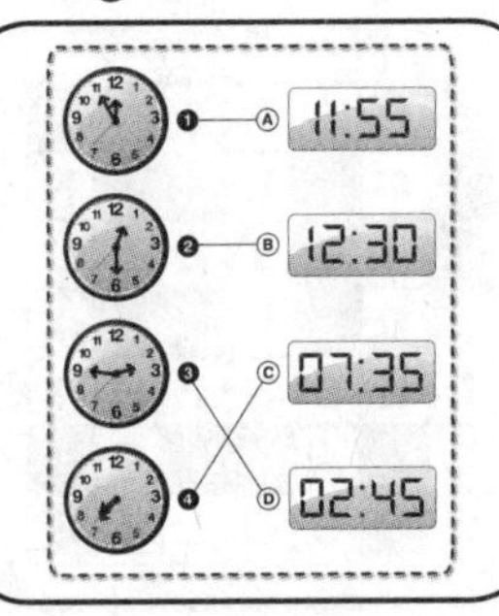

Jeu 207

Jeu 208

Jeu 210

B:6 I:27 N:37 G:51 O:63

Jeu 211

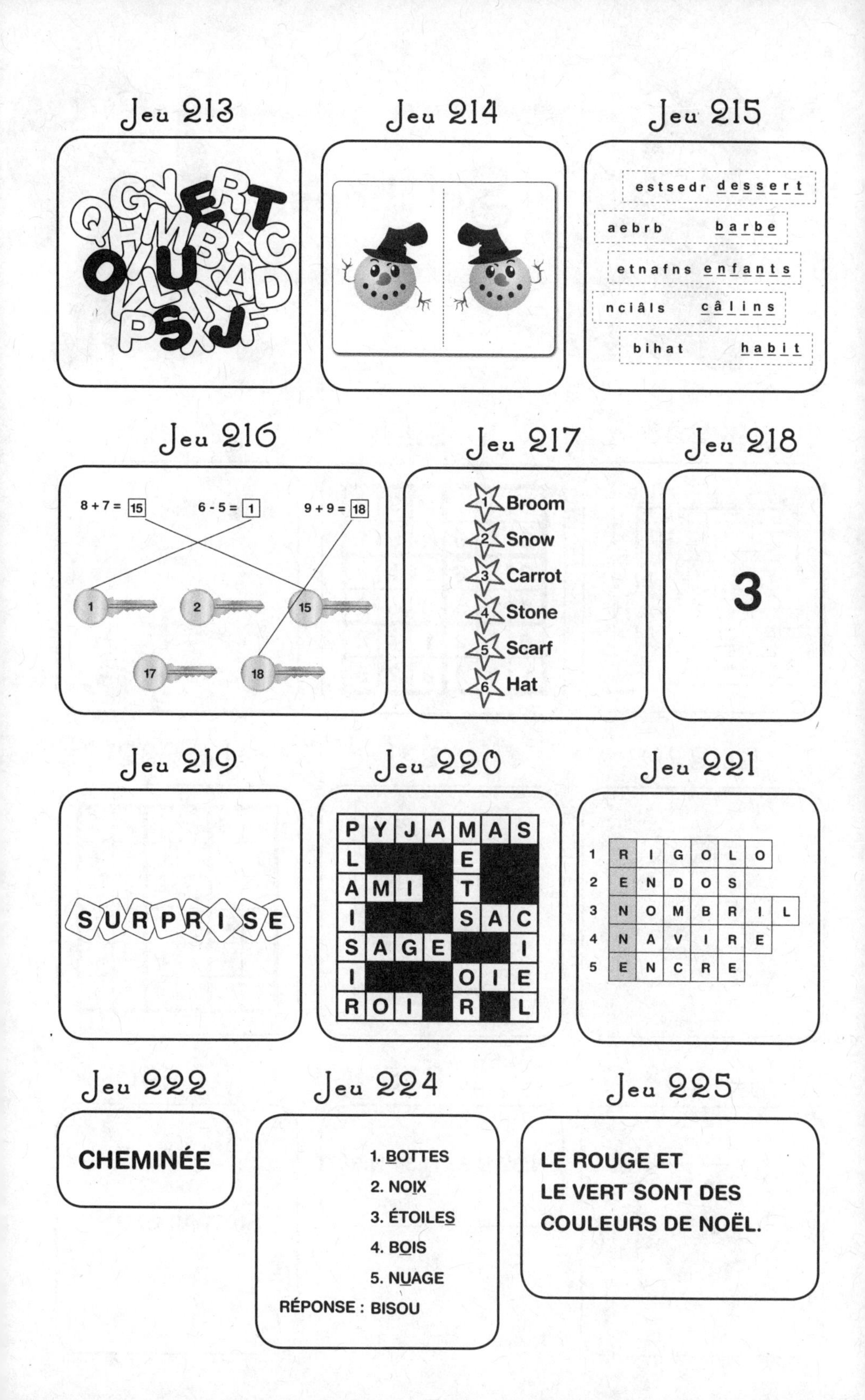
Jeu 213
QGYERT
QHMBKC
OVLUAD
VLNAD
PSXJF
Jeu 214
Jeu 215
estsedr dessert
aebrb barbe
etnafns enfants
nciâls câlins
bihat habit
Jeu 216
8 + 7 = 15
6 - 5 = 1
9 + 9 = 18
1
2
15
17
18
Jeu 217
1 Broom
2 Snow
3 Carrot
4 Stone
5 Scarf
6 Hat
Jeu 218
3
Jeu 219
SURPRISE
Jeu 220
PYJAMAS
L E
AMI T
I SAC
SAGE I
I OIE
ROI R L
Jeu 221
1 RIGOLO
2 ENDOS
3 NOMBRIL
4 NAVIRE
5 ENCRE
Jeu 222
CHEMINÉE
Jeu 224
1. BOTTES
2. NOIX
3. ÉTOILES
4. BOIS
5. NUAGE
RÉPONSE : BISOU
Jeu 225
LE ROUGE ET
LE VERT SONT DES
COULEURS DE NOËL.

Solutions

Jeu 226

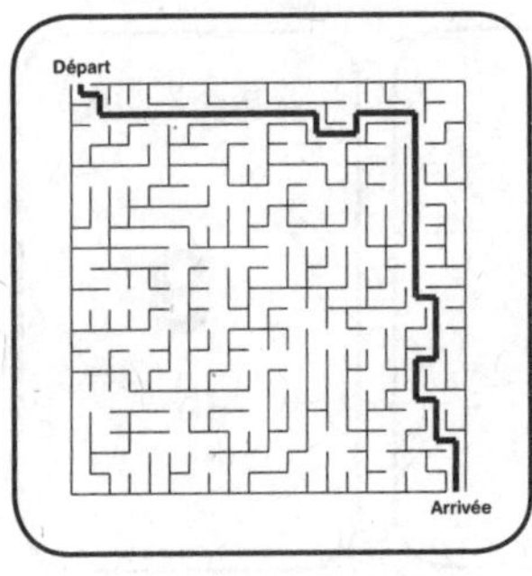

Jeu 227

5	4	1	2	3	6
3	2	6	4	5	1
2	6	3	5	1	4
4	1	5	3	6	2
6	5	2	1	4	3
1	3	4	6	2	5

Jeu 228

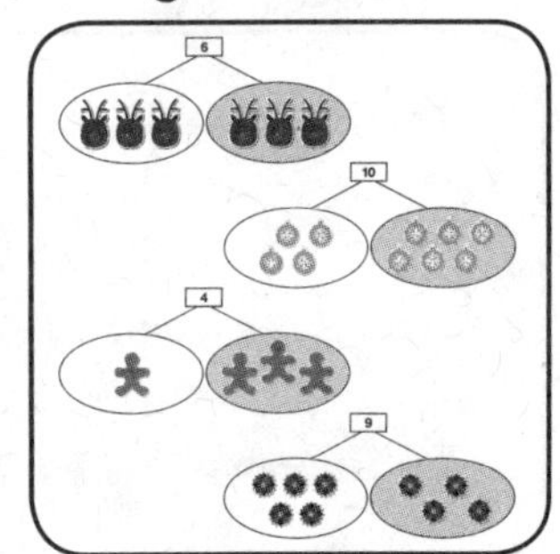

Jeu 229

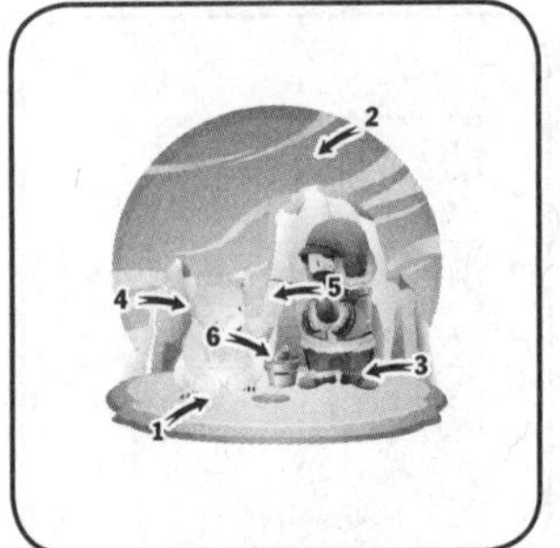

Jeu 231

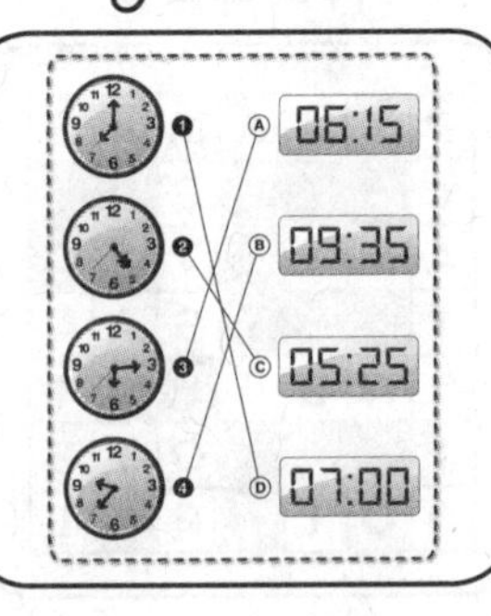

Jeu 232

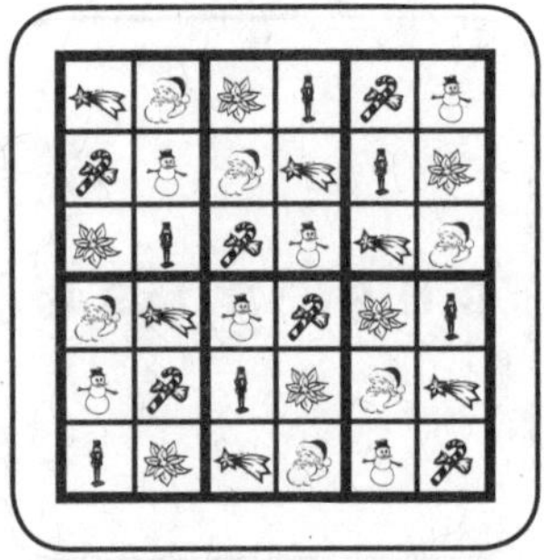

Jeu 233

Jeu 235

N:32 N:33 N:34 N:36

Jeu 236

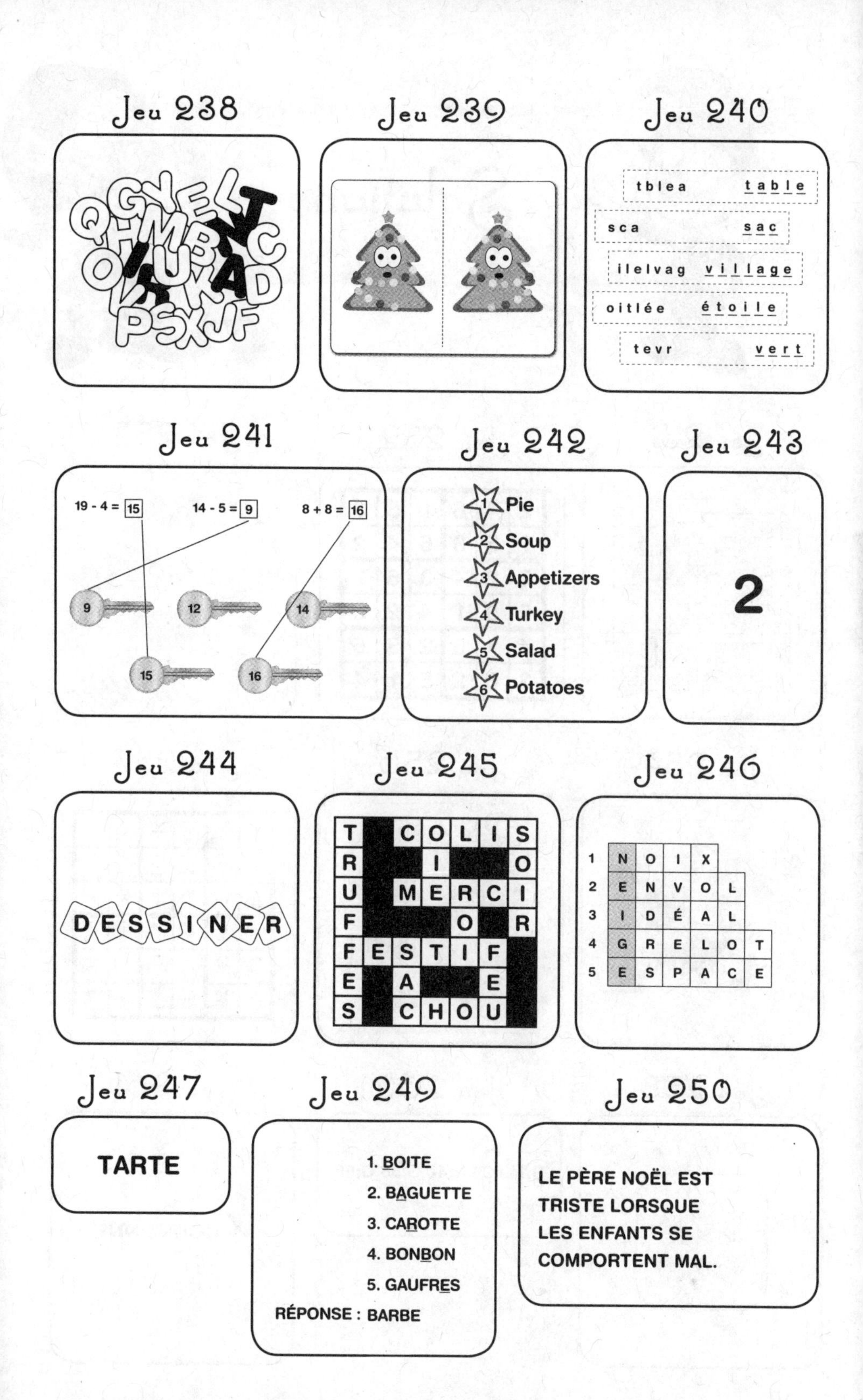
Jeu 238
Jeu 239
Jeu 240
tblea table
sca sac
ilelvag village
oitlée étoile
tevr vert
Jeu 241
19 - 4 = 15
14 - 5 = 9
8 + 8 = 16
9
12
14
15
16
Jeu 242
1 Pie
2 Soup
3 Appetizers
4 Turkey
5 Salad
6 Potatoes
Jeu 243
2
Jeu 244
DESSINER
Jeu 245
T COLIS
R I O
U MERCI
F O R
FESTIF
E A E
S CHOU
Jeu 246
1 NOIX
2 ENVOL
3 IDÉAL
4 GRELOT
5 ESPACE
Jeu 247
TARTE
Jeu 249
1. BOITE
2. BAGUETTE
3. CAROTTE
4. BONBON
5. GAUFRES
RÉPONSE : BARBE
Jeu 250
LE PÈRE NOËL EST
TRISTE LORSQUE
LES ENFANTS SE
COMPORTENT MAL.

Solutions

Jeu 251

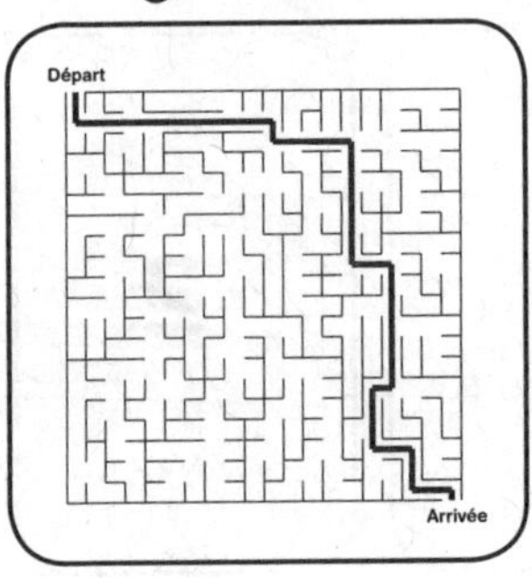

Jeu 252

2	4	6	1	5	3
1	5	3	6	4	2
5	2	4	3	6	1
6	3	1	4	2	5
4	1	5	2	3	6
3	6	2	5	1	4

Jeu 253

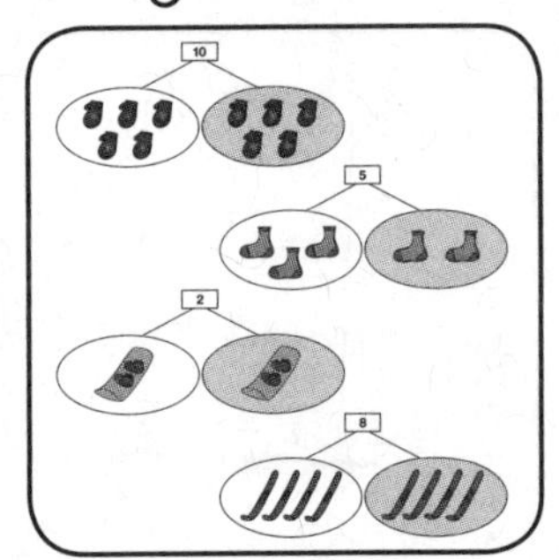

Jeu 254

Jeu 256

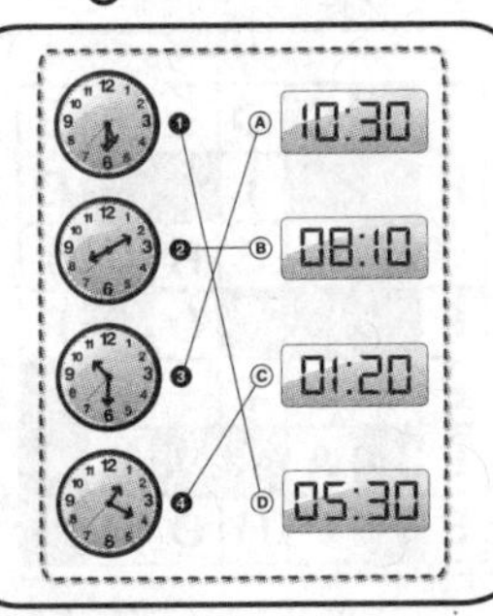

Jeu 257

Jeu 258

Jeu 260

B:14 I:29 N:44 G:58 O:66

Jeu 261

✓ COURONNE

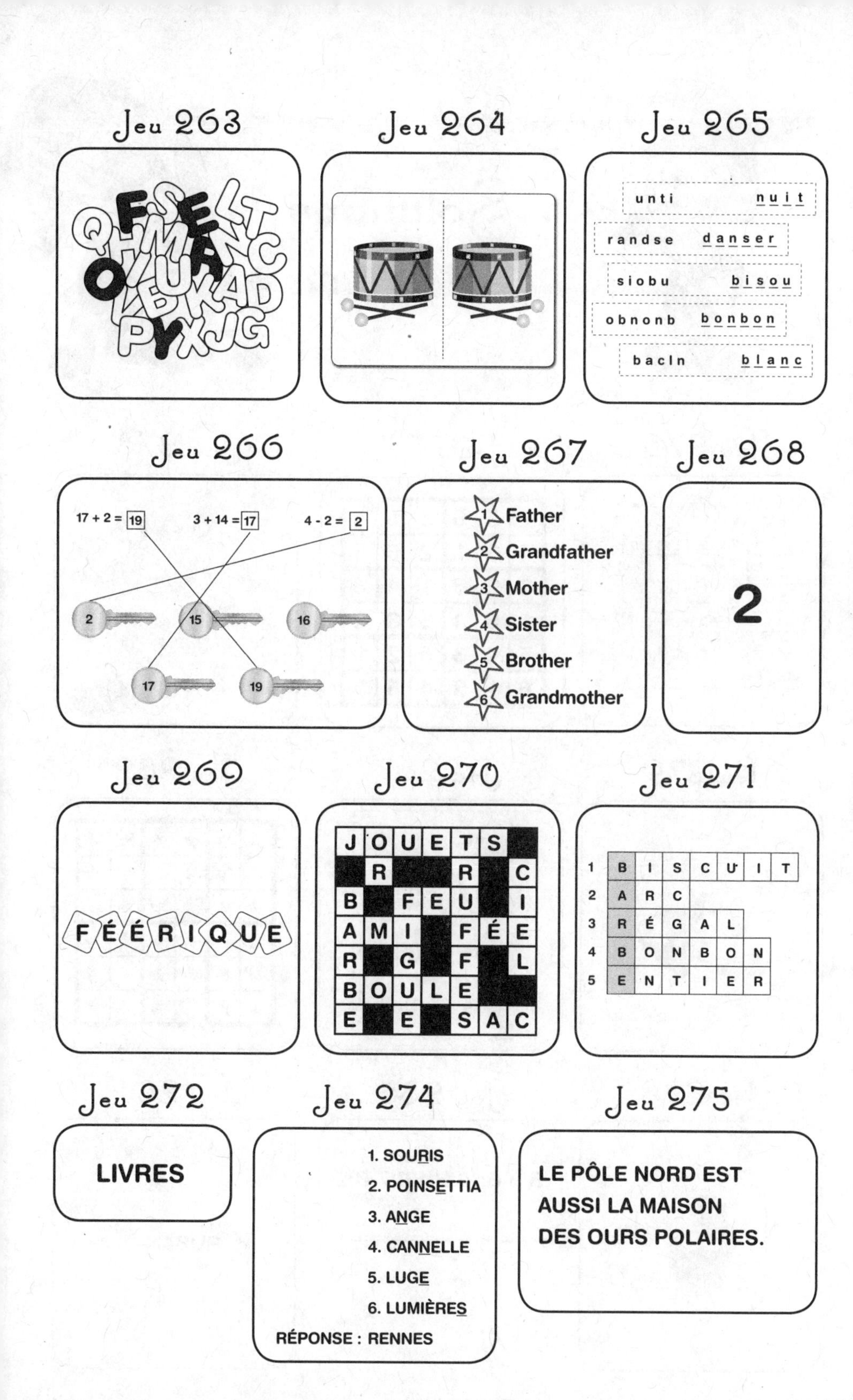
Jeu 263
F S E L T
Q H M A N C
O V U R A
V B K A D
P Y X J G
Jeu 264
Jeu 265
unti nuit
randse danser
siobu bisou
obnonb bonbon
bacln blanc
Jeu 266
17 + 2 = 19
3 + 14 = 17
4 - 2 = 2
2
15
16
17
19
Jeu 267
1 Father
2 Grandfather
3 Mother
4 Sister
5 Brother
6 Grandmother
Jeu 268
2
Jeu 269
FÉÉRIQUE
Jeu 270
JOUETS
R R C
B FEU I
AMI FÉE
R G F L
BOULE
E E SAC
Jeu 271
1 BISCUIT
2 ARC
3 RÉGAL
4 BONBON
5 ENTIER
Jeu 272
LIVRES
Jeu 274
1. SOURIS
2. POINSETTIA
3. ANGE
4. CANNELLE
5. LUGE
6. LUMIÈRES
RÉPONSE : RENNES
Jeu 275
LE PÔLE NORD EST
AUSSI LA MAISON
DES OURS POLAIRES.

Solutions

Jeu 276

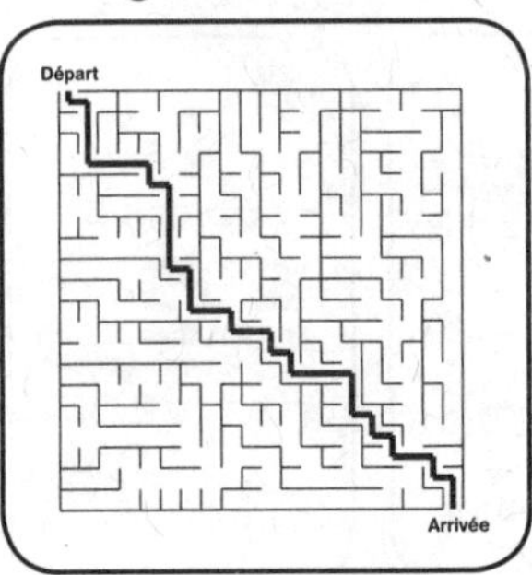

Jeu 277

2	5	6	3	1	4
4	3	1	2	6	5
3	2	5	1	4	6
1	6	4	5	3	2
5	4	3	6	2	1
6	1	2	4	5	3

Jeu 278

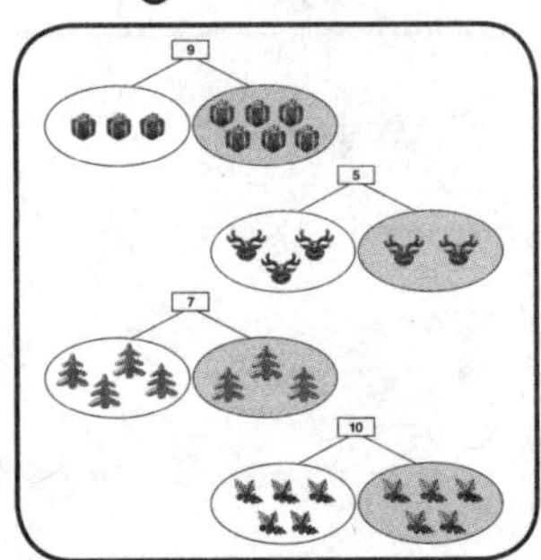

Jeu 279

Jeu 281

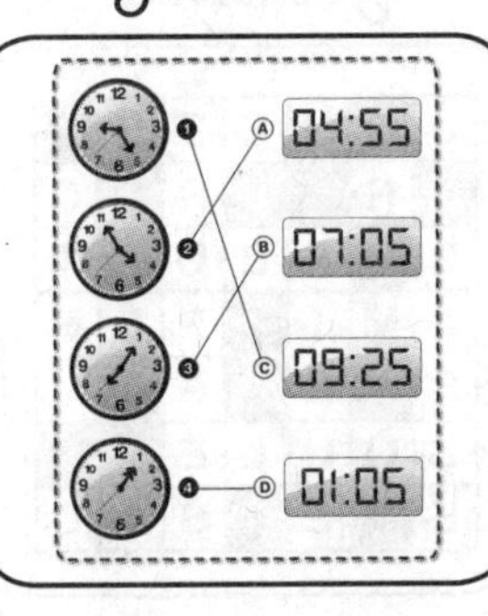

Jeu 282

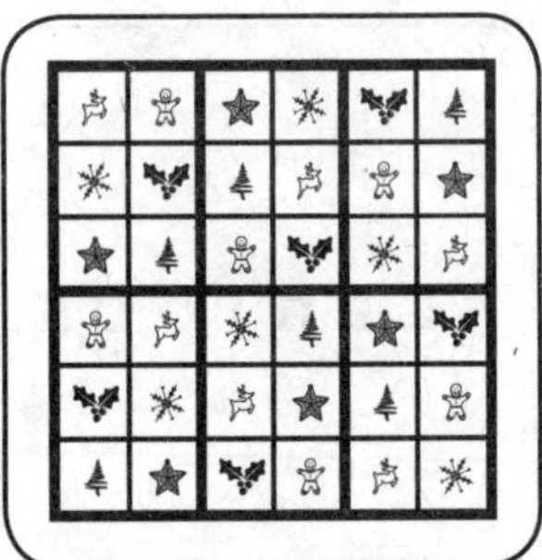

Jeu 283

Jeu 285

B:8 B:10 B:1 B:7 B:2

Jeu 286

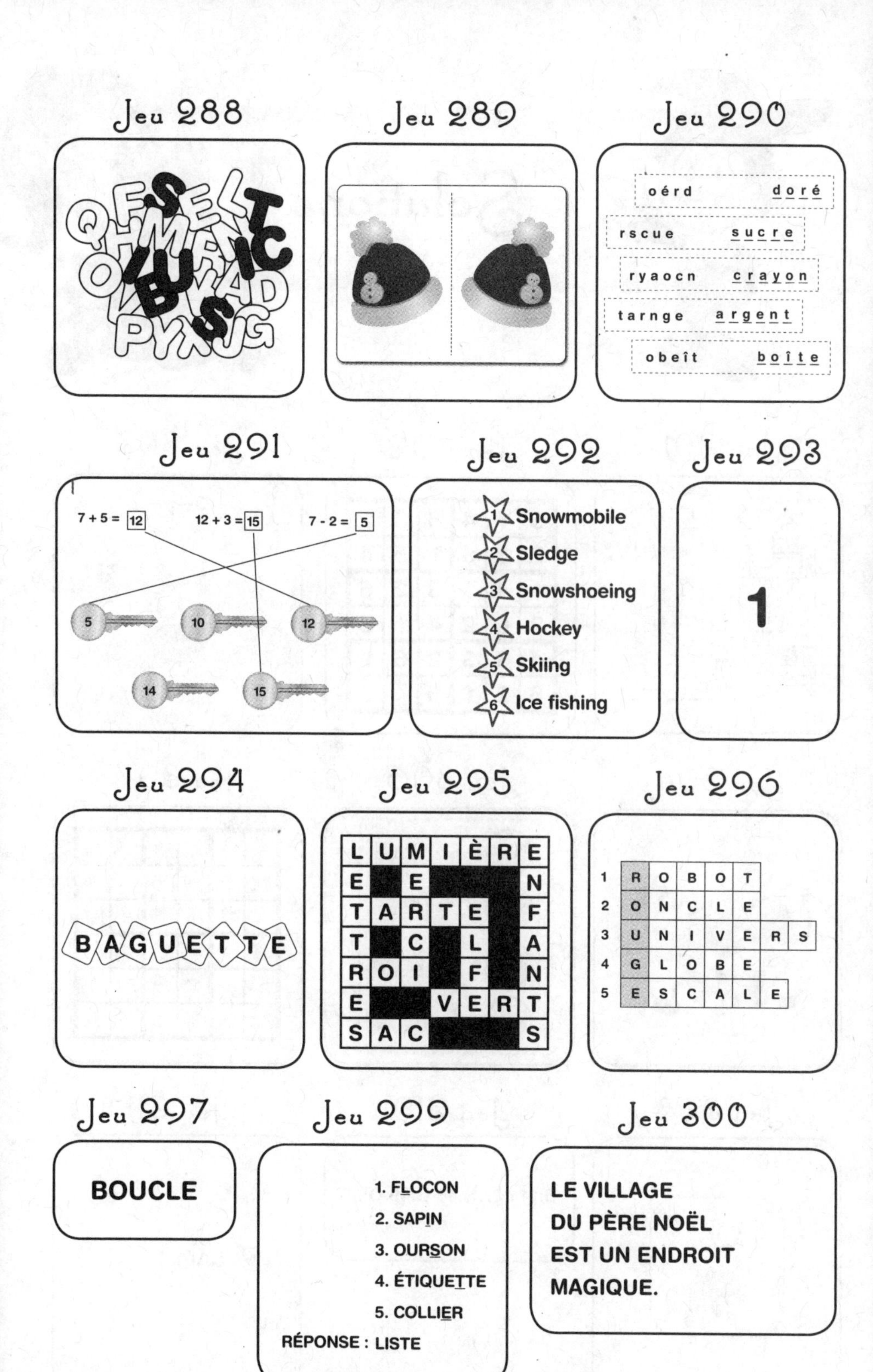
Jeu 288
Jeu 289
Jeu 290
oérd doré
rscue sucre
ryaocn crayon
tarnge argent
obeît boîte
Jeu 291
7 + 5 = 12
12 + 3 = 15
7 - 2 = 5
5
10
12
14
15
Jeu 292
1 Snowmobile
2 Sledge
3 Snowshoeing
4 Hockey
5 Skiing
6 Ice fishing
Jeu 293
1
Jeu 294
BAGUETTE
Jeu 295
LUMIÈRE
TARTE
ROI
VERT
SAC
ENFANTS
Jeu 296
1 ROBOT
2 ONCLE
3 UNIVERS
4 GLOBE
5 ESCALE
Jeu 297
BOUCLE
Jeu 299
1. FLOCON
2. SAPIN
3. OURSON
4. ÉTIQUETTE
5. COLLIER
RÉPONSE : LISTE
Jeu 300
LE VILLAGE
DU PÈRE NOËL
EST UN ENDROIT
MAGIQUE.

Solutions

Jeu 301

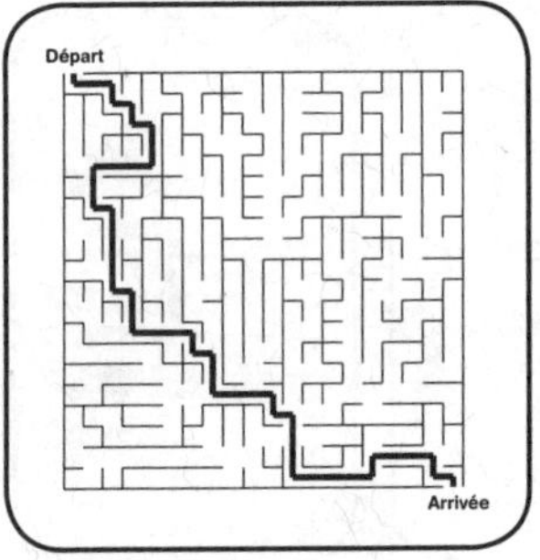

Jeu 302

5	1	4	6	3	2
2	3	6	1	5	4
1	4	5	3	2	6
3	6	2	4	1	5
4	5	3	2	6	1
6	2	1	5	4	3

Jeu 303

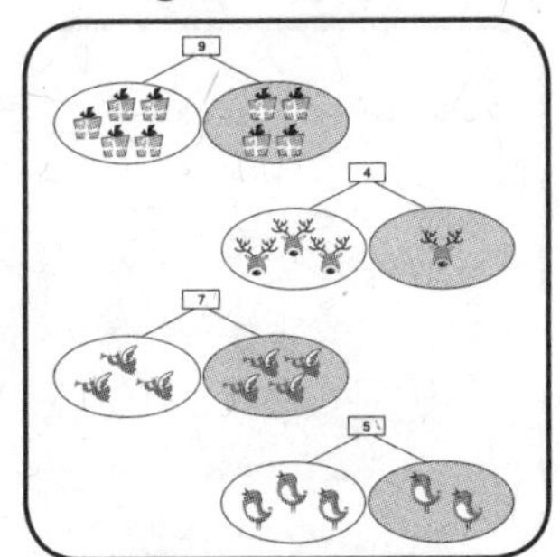

Jeu 304

Jeu 306

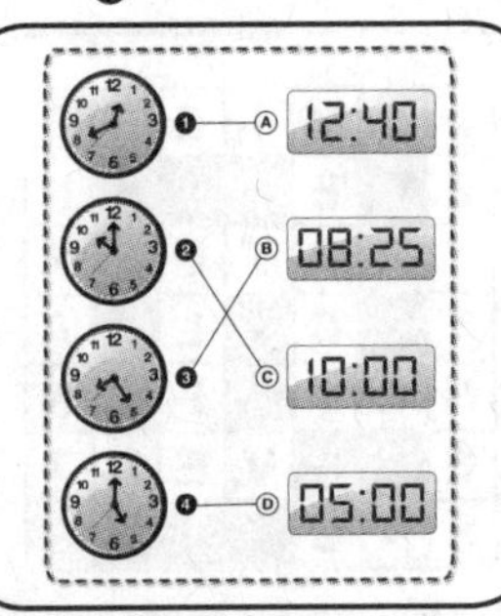

Jeu 307

Jeu 308

Jeu 310

Jeu 311

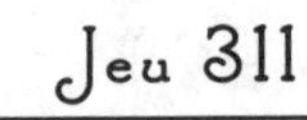

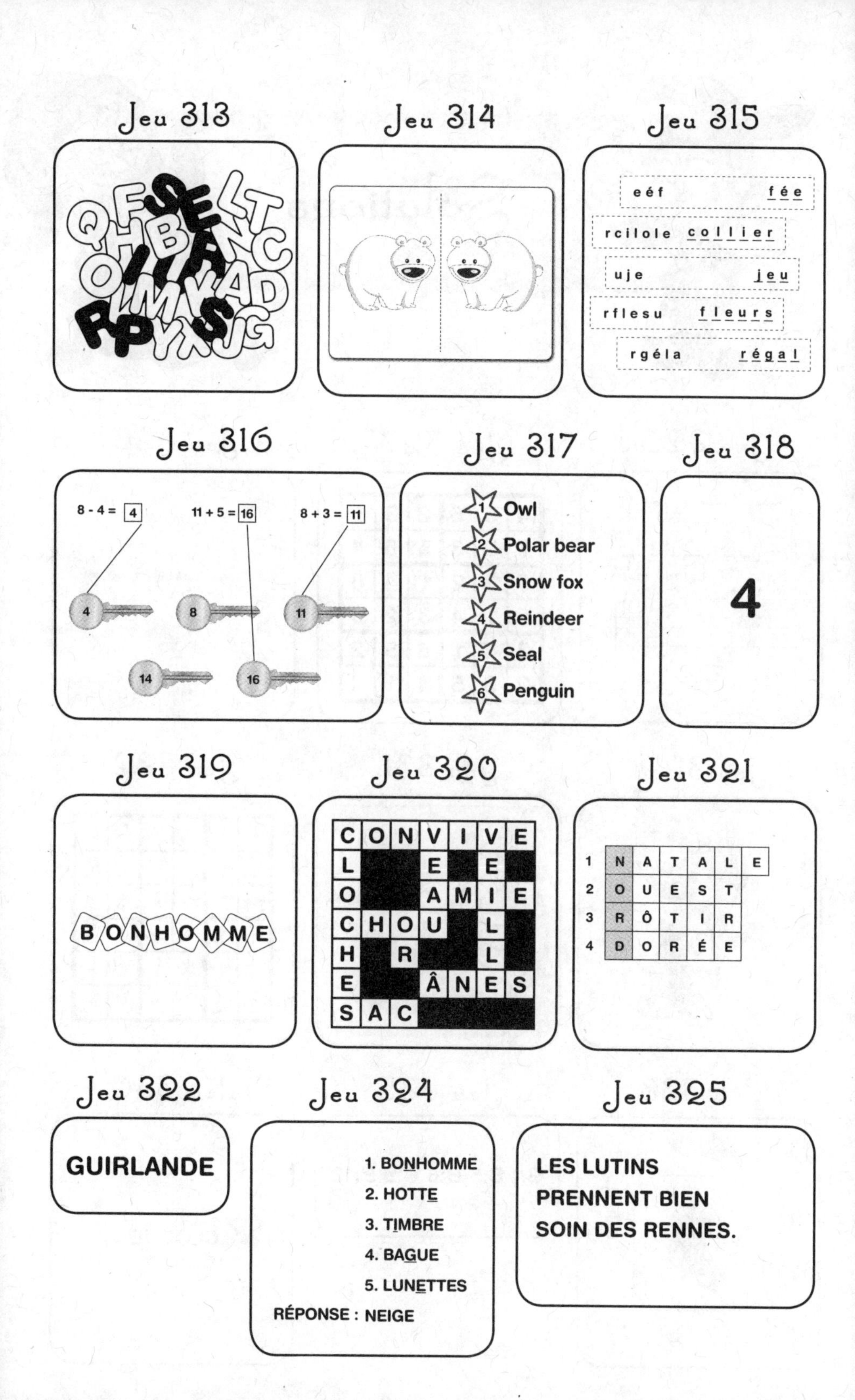

Jeu 313
Jeu 314
Jeu 315
eéf fée
rcilole collier
uje jeu
rflesu fleurs
rgéla régal
Jeu 316
8 - 4 = 4
11 + 5 = 16
8 + 3 = 11
4
8
11
14
16
Jeu 317
1 Owl
2 Polar bear
3 Snow fox
4 Reindeer
5 Seal
6 Penguin
Jeu 318
4
Jeu 319
BONHOMME
Jeu 320
CONVIVE
L E E
O AMIE
CHOU L
H R L
E ÂNES
SAC
Jeu 321
1 NATALE
2 OUEST
3 RÔTIR
4 DORÉE
Jeu 322
GUIRLANDE
Jeu 324
1. BONHOMME
2. HOTTE
3. TIMBRE
4. BAGUE
5. LUNETTES
RÉPONSE : NEIGE
Jeu 325
LES LUTINS
PRENNENT BIEN
SOIN DES RENNES.

Solutions

Jeu 326

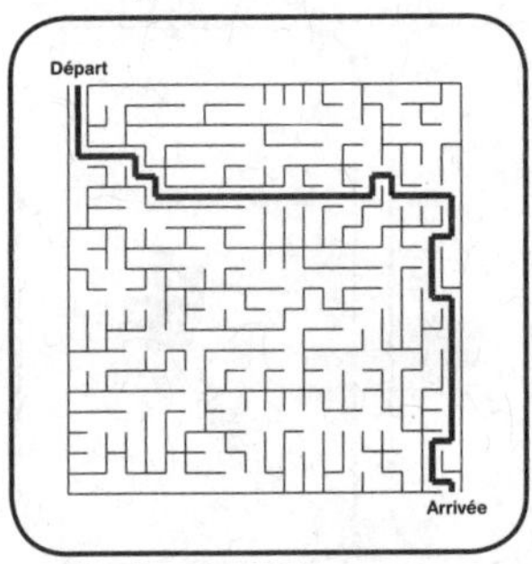

Jeu 327

4	5	6	2	3	1
1	2	3	5	6	4
5	3	2	1	4	6
6	1	4	3	2	5
3	4	1	6	5	2
2	6	5	4	1	3

Jeu 328

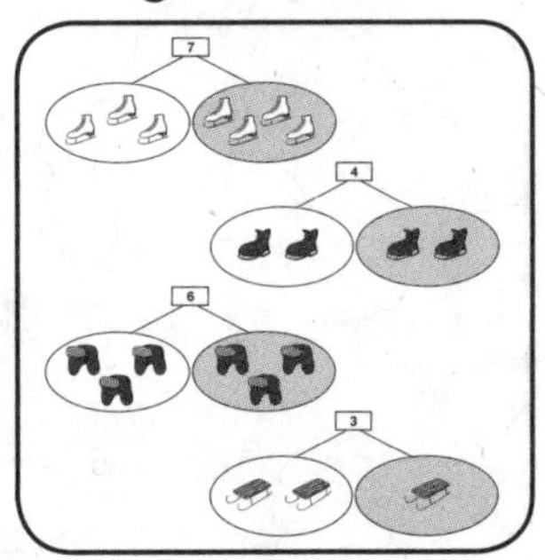

Jeu 329

Jeu 331

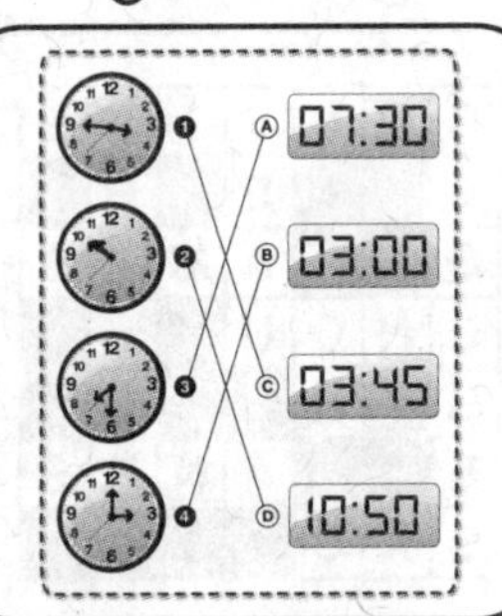

Jeu 332

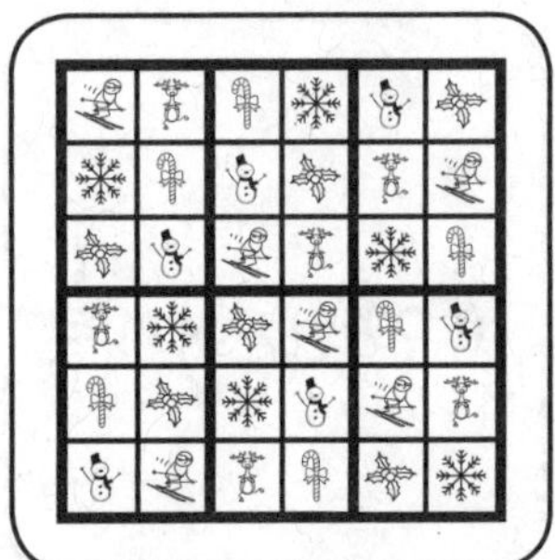

Jeu 333

Jeu 335

B:1 B:5 B:6 B:9 B:12

Jeu 336

✔ **CLOCHE**

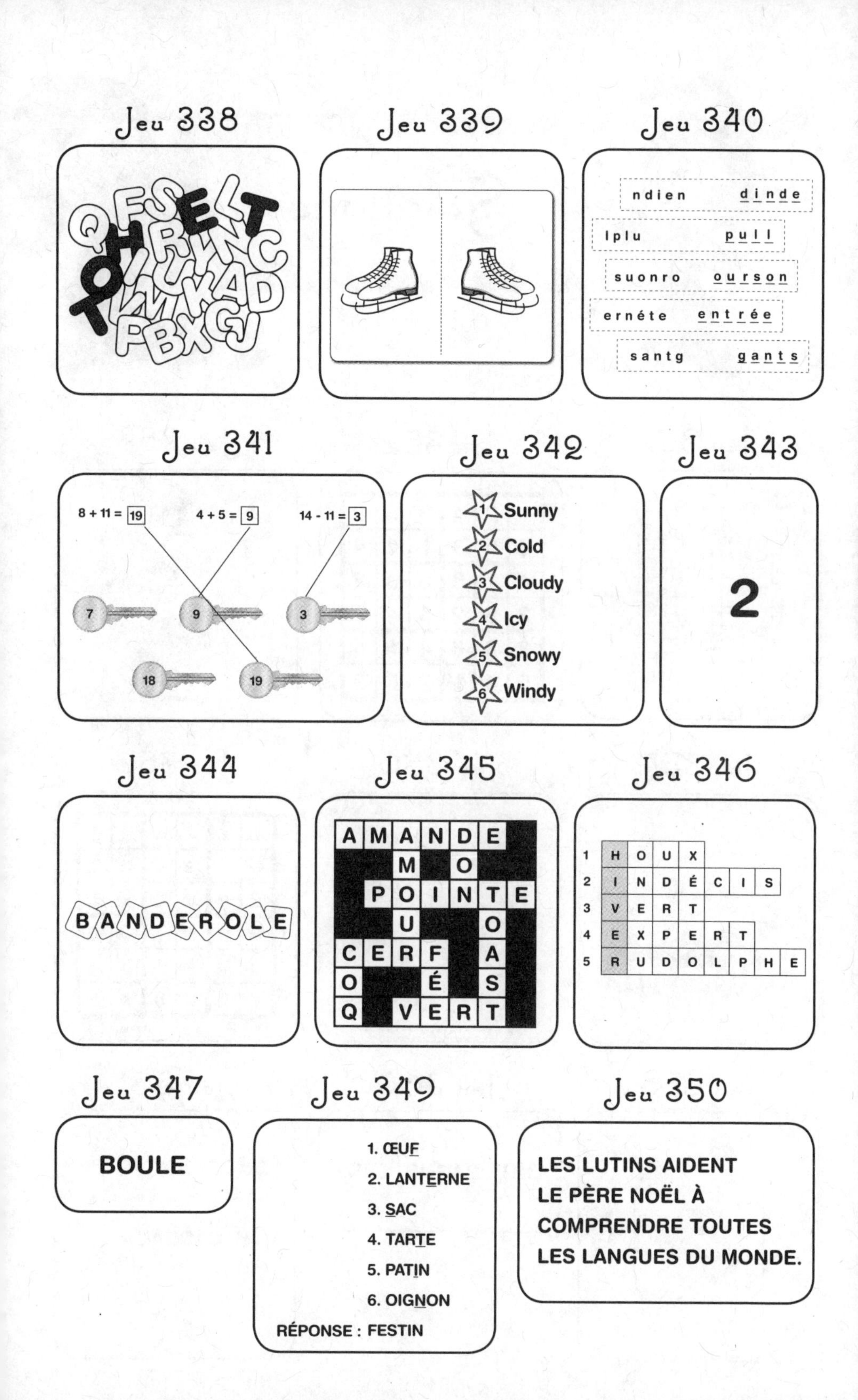
Jeu 338
Jeu 339
Jeu 340
ndien dinde
lplu pull
suonro ourson
ernéte entrée
santg gants
Jeu 341
8 + 11 = 19
4 + 5 = 9
14 - 11 = 3
7
9
3
18
19
Jeu 342
1 Sunny
2 Cold
3 Cloudy
4 Icy
5 Snowy
6 Windy
Jeu 343
2
Jeu 344
BANDEROLE
Jeu 345
AMANDE
MO
POINTE
UO
CERF A
O É S
Q VERT
Jeu 346
1 HOUX
2 INDÉCIS
3 VERT
4 EXPERT
5 RUDOLPHE
Jeu 347
BOULE
Jeu 349
1. ŒUF
2. LANTERNE
3. SAC
4. TARTE
5. PATIN
6. OIGNON
RÉPONSE : FESTIN
Jeu 350
LES LUTINS AIDENT
LE PÈRE NOËL À
COMPRENDRE TOUTES
LES LANGUES DU MONDE.

Solutions

Jeu 351

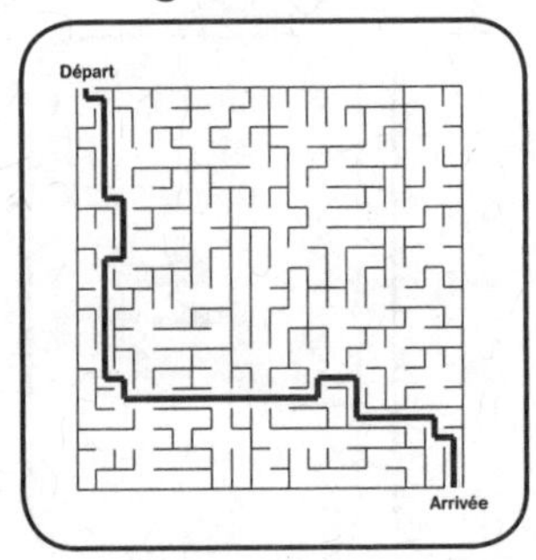

Jeu 352

1	2	4	3	5	6
6	5	3	1	2	4
4	1	5	6	3	2
3	6	2	5	4	1
2	3	6	4	1	5
5	4	1	2	6	3

Jeu 353

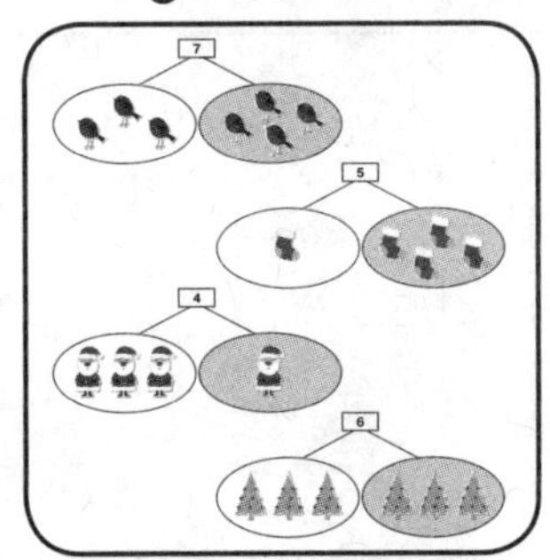

Jeu 354

Jeu 356

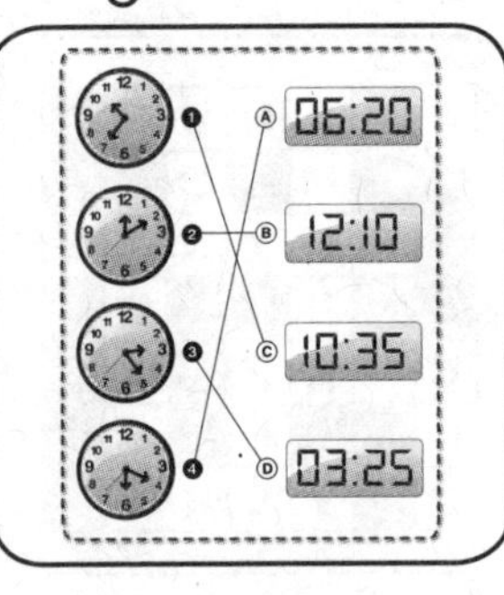

Jeu 357

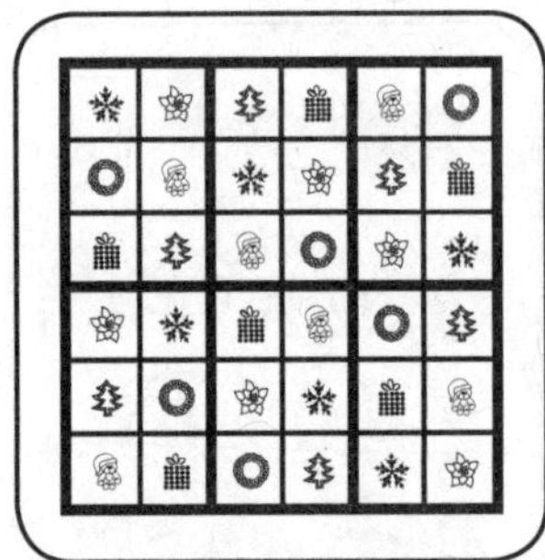

Jeu 358

Jeu 360

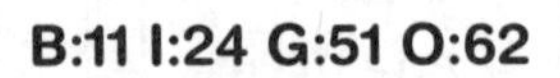

B:11 I:24 G:51 O:62

Jeu 361

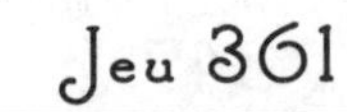

✓ **CADEAU**

Jeu 363

Jeu 364

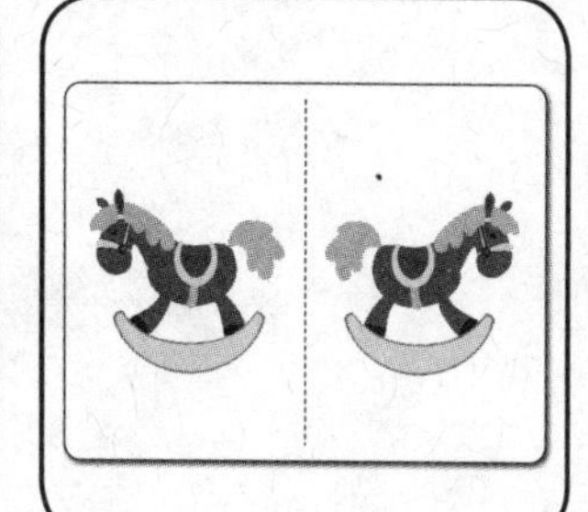

Jeu 365

Dessin libre

Dessin libre

Dessin libre

Dessin libre

Dessin libre

Dessin libre

Dessin libre

Dessin libre

Dessin libre

Dessin libre

Dessin libre

L'utilisation de 13 337 lb de Rolland Enviro100 Print plutôt que du papier vierge aide l'environnement des façons suivantes :
Arbres sauvés : 113
Réduit la quantité d'eau utilisée de 417 660 L
Réduit les gaz à effet de serre de 16 445 kg
Réduit la production de déchets solides de 6 326 kg
Réduit le smog de 49 kg
Réduit l'énergie utilisée de 186 GJ

C'est l'équivalent de :
Eau : 1 193 jours de consommation d'eau des ménages
Énergie : consommation d'énergie de 2 ménages par année

Imprimé sur du papier Enviro 100% postconsommation
traité sans chlore, accrédité ÉcoLogo et fait à partir de biogaz.